Yoko Tawada, *akzentfrei*

外国人に詑る自由を

YOKO TAWADA
akzentfrei

konkursbuch
VERLAG CLAUDIA GEHRKE

Inhalt

In einem neuen Land   9
Setzmilch   11
Transsibirische Rosen   15
Akzent   22
Schreiben im Netz der Sprachen   29
Ein ungeladener Gast   43
Jeder Fisch mit Schuppen
    hat auch Flossen   51

Nicht vergangen   64
Die unsichtbare Mauer   66
Wort, Wolf und Brüder Grimm   73
Ein Loch in Berlin   82
Halbwertzeit   88
Namida   94
Über Knut   120

Französischer Nachtisch   123
Roland Barthes als Spielbühne   124
Claude Lévi-Strauss und der japanische Hase   133

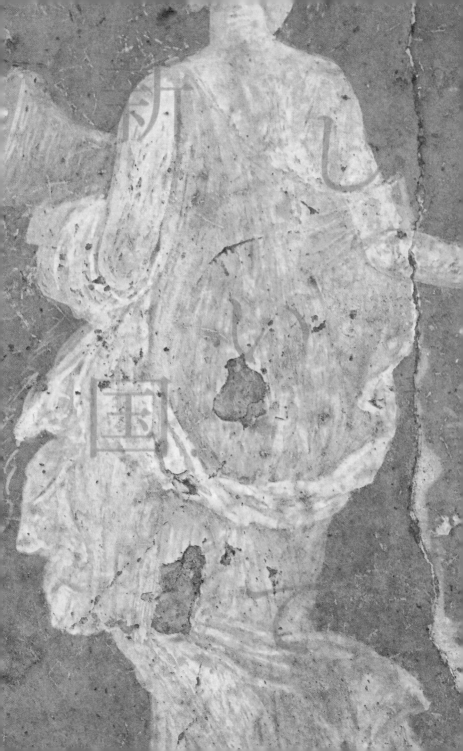

1. In einem neuen Land

Setzmilch

Ich möchte zuerst über die Kultur sprechen, und zwar über eine spezifische Form der Kultur, nämlich die Joghurtkultur. Oder sollte ich besser mit dem Thema Milch anfangen, denn ohne Milch gäbe es keinen Joghurt. Die Mutter des Joghurts ist keine Muttermilch, sondern die Kuhmilch. Vor einigen Jahren las ich in einer deutschen Zeitung über ein Gebiet in Afrika, in dem eine Menschengruppe Epidemien überlebte, weil sie Kuhmilch als Nahrungsmittel akzeptiert hatte. Der Autor des Artikels schrieb, dass Milch an sich kein bekömmliches Nahrungsmittel für erwachsene Menschen sei, denn die Natur schenke nur dem Säugling die Enzyme, die Laktose verarbeiten, und stelle sie später ein, damit das Kind sich von der Mutterbrust verabschiedet. Ein Kind, das weiter Muttermilch zu trinken versuche, müsse erbrechen.

Der europäische Magen hat im Laufe der Zivilisation die Fähigkeit entwickelt, ein Leben lang Milch zu verdauen. Mit einem Wort: Europa trinkt Milch und erbricht nicht: Das war meine Definition von Europa bis vor Kurzem.

Als ich in den sechziger Jahren in Tokio zur Grundschule ging, gab es einige Klassenkameraden, denen sofort übel wurde, wenn sie Milch tranken. Wir bekamen jeden Tag eine kleine Flasche Milch in der Schule, zusammen mit dem Mittagessen. Unsere Lehrerin sagte, jeder gewöhne sich an Milch, man müsse Geduld haben. Ich weiß nicht, ob sie recht hatte. Denn selbst in Europa gibt es heute noch Menschen, die keine Laktose vertragen.

Die europäische „Kultur" wurde ausschließlich aus Bulgarien nach Japan importiert, ich meine die Joghurtkultur. 1905 gelang es dem bulgarischen Wissenschaftler Stamen Grigorow, eine Sorte Bakterium zu isolieren, das für die Entstehung des Joghurts verantwortlich ist.

Als ich in Sofia war, sah ich in einem Supermarkt die Joghurtmarken, die ich aus Deutschland kannte, das ganze Regal besetzen. Warum importieren die Bulgaren die teuren Produkte aus dem Ausland, wenn sie selber das weltberühmte Joghurtvolk sind? Der Joghurt war nicht mehr Joghurt, sondern eine globale Industrieware. Wer ihn besser vermarkten kann, verkauft mehr davon. Ich war entsetzt. In dem Wort „entsetzen" ist übrigens das Wort „setzen" enthalten, aber darauf komme ich noch später zurück. Eine Bekannte von mir in New York kauft sich ausschließlich Joghurt aus Griechenland. Viele amerikanische Joghurtprodukte seien ihrer Meinung nach nichts anderes als chemische Schleimsuppe. Die Griechen seien für sie das Joghurtvolk. Aber eine Griechin, die ich neulich kennenlernte, offenbarte mir, es gebe keinen griechischen Joghurt mehr, es gebe nur noch europäischen Joghurt. So trägt man nicht nur die Eulen, sondern auch noch den Joghurt nach Athen.

Der Joghurt ist ein Sauermilchprodukt, eine Art Dickmilch. Die Wörter „Sauermilch" oder „Dickmilch" werden selten verwendet, denn man soll heutzutage weder sauer noch dick sein. Man soll immer gute Laune haben und so dünn sein wie die Menschen auf jedem Werbefoto für Joghurt. Ich dachte, dieses Erfolgsrezept wäre amerikanisch, und in Europa dürfe man sauer sein – sauer auf die Zustände, sauer auf die politische Situation, sauer auf die Ungerechtigkeit. Denn das Sauer-Sein bringt Nachhaltigkeit. Das Sauerkraut hält länger als der Kohl. Wenn ich Wörter wie Sauerkraut oder Sauerbraten höre, fließt mir Speichel im Mund zusammen – nicht, weil ich diese Gerichte essen will, sondern, weil das Wort „sauer" in meinen Magen hineinklingt.

„Joghurt" ist ein Lehnwort aus dem Türkischen, und vielen Europäern ist es nicht bewusst, wie oft am Tag sie sich etwas Türkisches auf die Zunge legen. Die Wörter „Sauermilch" oder „Dickmilch" sind, selbst wenn sie selten benutzt werden, noch nicht vergessen worden, während das Wort „Setzmilch" kaum noch verwendet wird. Ich habe es in einem Wörterbuch gefunden und las zuerst „Satzmilch".

Als Folge entstanden im Sprachzentrum meines Gehirns neue Wörter wie zum Beispiel Wortmilch, Sprachmilch, Prosamilch, Haikuhmilch, Nachlassmilch, Übersetzungsmilch usw. Es gibt Wörter, die vergessen werden, aber es gibt auch Wörter, die neu geboren werden.

Wenn ich sauer bin und mein Kopf von neuen Wörtern anschwillt, setze ich mich an den Schreibtisch. Nachdem eine Schriftstellerin die Schrift gestellt hat, setzt der Setzer die entsprechenden Buchstaben. Dabei benutzt er kein Setzbrett mehr, sondern ein Computerprogramm. Das Wort „Setzbrett" wird sicher bald vergessen. Ich setze die Sätze, es klingt etwas streng, aber es geht nicht um eine Festlegung der flüssigen Ideen. Ich setze die Sätze wie ein wildes Tier in der Setzzeit seine Nachkommen in die Welt setzt. Aus den gesetzten Sätzen soll kein Gesetz werden. Sie sollen besser wie Setzmilch in einen Gärungsprozess geraten.

Transsibirische Rosen

Als ich im Juli 2011 in Klappholttal, einem kleinen Ort auf der Nordseeinsel Sylt, ankam, wurde die untere Hälfte meines Blickfeldes sofort von sattgrünen Rosenbüschen überflutet. Die Rosen strahlten genauso elegant und erhaben wie die Großstadtrosen, die den Festsaal eines Palastes schmücken, wirkten aber irgendwie bescheiden, wahrscheinlich, weil ihre Farben nicht dick und gleichmäßig aufgetragen waren. Die Blütenblätter waren so dünn wie das schlichte Kleid eines dünnen, mittellosen Mädchens, das am Strand mit dem Wind tanzte. Sie hat ihre Tanzkunst nicht in einer Tanzschule gelernt. Ihr Tanzlehrer war eine Strandfahne, ihr Tanzpartner der Wind. Sie wusste genau, wann sie nachgeben musste. Ich dachte ans große Schweigen des langen Winters und ein beschwerliches Leben von früher, in dem man gegenüber der Natur Bescheidenheit entwickelt hat.

Eine ortskundige ältere Frau brachte mir die Bezeichnung „Kamtschatkarose" bei. Sie sagte, die Kamtschatkarose sei aus Japan gekommen. Ich sagte ihr, die Halbinsel Kamtschatka gehöre nicht zu Japan. Ich wollte keine Oberlehrerin spielen, sondern den euroasiatischen Kontinent schnell von Japan abkoppeln, bevor jemand mir unterstellt, japanischen Kolonialismus zu bejahen.

Die Pflanzennamen versuchen, unpolitisch zu blühen. „Prunus serrulata" wird in Deutschland „japanische Blütenkirsche" genannt. Sie soll nicht auf die gelbe Gefahr hindeuten, sondern den exotischen Reiz der Kirsche unterstreichen. Genauso unschuldig sprach die Frau den Satz aus: die Kamtschatkarose komme aus Japan. Ich hätte vielleicht diese Rose in „sowjetische Rose" umbenennen sollen, um meine Unruhe nachvollziehbar zu machen.

Eine bestimmte Sorte der Kirsche, Someiyoshino (Cerasus yedoensis), wurde von Japanern am Ende des neunzehnten Jahrhunderts in östlichen Gebieten des heutigen China und Russland eingepflanzt. Die Imperialisten haben durch die Kirschblüten die Orte vormarkiert, die später „japanisch" werden sollten.

Die Kamtschatkarosen, die sich in Nordfriesland niedergelassen haben, werden auch Syltrosen genannt. Ein Name, mit dem ich mich sofort anfreunden konnte. Meine Aufenthaltserlaubnis für Deutschland trägt offiziell den Namen „Niederlassungserlaubnis". Bei dem Wort „niederlassen" wird das Gewicht nach unten verlagert. Es tut mir gut, den schweren Kopf und die Schultern wie Reisegepäck auf den Boden zu stellen. Ich habe mich hier niedergelassen! Im Unterschied zu den Syltrosen möchte ich jedoch keine Wurzeln schlagen, sonst könnte ich nicht mehr fliegen, ohne die Wurzel auszureißen.

Ich weiß nicht, was mir unheimlicher ist: Die Einbürgerung der Rosen oder die Naturalisierung der Menschen. Die Rosen bekommen kein Bürgerrecht, gehen nicht auf einem Bürgersteig spazieren. Bei der Naturalisation wird der Einwanderer zu einem Teil der Nation erklärt und somit die Nation zur Natur.

Ein Jahr später begrüßten mich die Syltrosen wieder in voller Blüte. Dieses Mal erinnerte mich ihre Farbe an die des Gürtels, Obi, für den Sommerkimono, Yukata, die ich als Kind zum Sommerfest trug. Auf einmal fiel mir ein, dass ich diese Rosen schon gekannt hatte, bevor ich ihnen ein Jahr zuvor auf Sylt begegnet war. Die Syltrose ist identisch mit „Hamanasu"! Da mir die einschüchternde Bezeichnung „Kamtschatkarose" im Weg stand, war mir das Wort „Hamanasu" gar nicht eingefallen und somit auch nicht die Tatsache, dass ich diese Pflanze schon kannte.

Ich versuchte, die Wohnorte der Wörter in meinem Kopf zu erkunden: die beiden Wörter, Syltrose und Hamanasu, lebten voneinander weit entfernt wie zwei Sterne im endlosen Kosmos.

Beim Übersetzen kann ein Wort ein anderes Wort ersetzen, verdrängen, verfälschen, verstellen, verschieben, aussaugen, zerstören oder austreiben. Vielleicht denke ich aber viel zu territorial. Es müsste eine ganz andere Räumlichkeit geben, in der die Existenz möglich ist, ohne einen Platz für sich in Anspruch zu nehmen.

Wenn das Wetter gut ist, geht das Wort „Syltrose" spazieren, findet falsche Freunde am Strand, zum Beispiel eine Schildkröte. Syltrose und Schildkröte haben Ähnlichkeiten, die für eine Freundschaft ausreichen, auch wenn sie für die anderen unbedeutend sind. Die Syltrose lernt später einen noch falscheren Freund, einen Sylt-mat-rosen, kennen und geht mit ihm auf eine Weltreise, landet in Neuseeland, erinnert sich dort, dass das Wort „Sylt" möglicherweise von „See-land" kommt. So hat sie einen Weg von altem Seeland zu neuem Seeland gefunden.

Hamanasu blühen im Norden Japans. „Hama" bedeutet der Strand und „Nasu" die Aubergine. Die Syltrose ist die Strandaubergine. Hamanasu wird auch „Hamanashi" genannt, die Strandbirne. Manche sagen, das Wort „Hamanasu" sei durch die regionale Lautverschiebung des Wortes „Hamanashi" entstanden und habe nichts mit der Aubergine zu tun. Andere sagen, man finde die Bezeichnung „Hamanasu" bereits im mittelalterlichen Pflanzenlexikon. Egal, die Birne oder die Aubergine, ich habe eine neue Ernte. Eine Rückübersetzung oder eine etymologische Reise bringen mir gelegentlich neue Früchte.

Die Migration der Pflanzen hat eine lange Tradition. Exotische Blumen im Garten verraten die Sehnsucht nach der Ferne, Neugierde, Habgier oder Eroberungsfantasie des Gartenbesitzers. Exotische Pflanzen im Freien hingegen können bei manchen Angst vor Eindringlingen erwecken. In Florida hörte ich, dass sich dort eine bestimmte japanische Hängepflanze wie die Pest verbreitet habe. Ich kannte die Pflanze nicht aus Japan. Im Ausland hat eine Pflanze oder ein Tier oft keinen natürlichen Feind, sodass sie sich rasch vermehren können, was im Herkunftsland nicht möglich ist. Es klingt wie ein Naturgesetz, ist aber nicht allein die Sache der Natur. In Korea hörte ich, dass sich eine besonders hässliche Sorte der japanischen Kröte vermehrt und die einheimischen verdrängt habe. Freundliche Menschen reden „durch die Blume" oder in diesem Fall „durch die Kröte" über die Politik.

Im Internet entdeckte ich noch mehr Bezeichnungen für die Syltrose: „japanische Apfelrose" und „Kartoffelrose". Zu der Aubergine und der Birne kamen noch der Apfel und die Kartoffel. Ich muss das ganze Obst und Gemüse im winzigen Wortkeller der Rose unterbringen, der eigentlich schon mit Hagebutten vollgestopft ist. Außerdem muss ich Kamtschatka, Sylt und Japan unter ein Dach bringen. Woraus besteht dieses Dach? Nach der Sylter Tradition werden die Dächer mit Reet gedeckt. Womit wird das Dach des Sprachgedächtnisses gedeckt?

Später erfuhr ich, dass man die Hamanasu aus Japan nach Nordeuropa importiert und weitergezüchtet hatte. Die durch die Zucht entstandene neue Sorte wurde nach Japan zurückimportiert. Sie wird nicht „Hamanasu" genannt, sondern „Hybrid Rugosa", hybride Rosen. Es war mir neu, dass man nicht nur in Bezug auf Hunde, Autos und Autoren die Charakteristik „hybrid" verwendet, sondern auch für Rosen. Beim Surfen auf der Internet-Nordsee fand ich das Wort „Artbastard" als Synonym für Hybride. Es wurde als ein neutrales Fachwort präsentiert, klang aber so feindselig, dass ich fast das Wort „entartet" herausgehört habe.

Ich hatte das Wort „Bastard" als Schimpfwort in einem Familiendrama im Fernseher gehört. Mir wurde endlich klar, warum die meisten Menschen Angst vor einem „Bastard" haben. Wenn ein uneheliches

Kind eines Tages als Halbgeschwister auftaucht, muss man eventuell mit ihm das Erbe teilen. Das wichtigste Erbe der Menschheit besteht jedoch aus den Sprachen mit ihrer Unterschiedlichkeit. Warum sollte man sie nicht mit anderen teilen? Durch das Teilen wird das Erbe nicht weniger, sondern mehr.

Ich kann ein bedrohliches Wort entkräften, indem ich es absichtlich schräg übersetze. Meine Übersetzung von „Art-Bastard" lautet: „die Kunst der Vermischung".

Akzent

Der Akzent ist das Gesicht der gesprochenen Sprache. Seine Augen glänzen wie der Baikalsee oder wie das Schwarze Meer oder wie ein anderes Wasser, je nachdem, wer gerade spricht.

Die Augen meiner Sprache enthalten Wasser aus dem Pazifik, wo zahlreiche Vokale als Inseln schwimmen. Ohne sie würde ich ertrinken.

Die deutsche Sprache bietet mir nicht genug Vokale. „Lufthansa" spreche ich „Lufutohansa" aus, damit fast jeder Konsonant mit einem Vokal versorgt ist. Wo soll ich sonst hin mit meinen Gefühlen, die nur in den Vokalen zu Hause sind?

Wie würde die Welt aussehen, wenn es nur Konsonanten gäbe? Sprechen Sie einfach „k" oder „g" aus, und achten Sie darauf, wie sie auf Ihren Körper wirken! Sie klingen für mich nach einer Ablehnung, einer Abgrenzung oder nach einer leise gesprochenen Ausrede. Es ist mir unangenehm, und ich versuche deshalb, diese Laute mit wenig Druck auszusprechen, und nehme es in Kauf, dass mein japanischer Akzent dadurch verstärkt wird. Auch die expulsiven Konsonanten „p" und „b" bereiten mir Kopfschmerzen. Sie klingen verärgert, verachtend und abweisend. Ich ziehe es vor, beim Aussprechen dieser Konsonanten die Luft nach innen zu ziehen, damit sie nicht zu heftig explodieren.

Es gibt auch sanftere Konsonanten. Das heißt aber nicht, dass ich sie ohne meinen Akzent aussprechen könnte. Die Konsonanten „r" und „l" zum Beispiel bringe ich durcheinander. Sie sind für mich eineiige Zwillingsschwestern. Hier einige Übungen für einen besseren Umgang mit ihrer Verwechselbarkeit: „Durch das lustvolle Wandern in der Natur wandelt Herr Müller seine Gesinnung." – „Der Rücken eines Ponys ist niedrig und deshalb niedlich. Wäre er doppelt so hoch, wäre er halb so niedlich." – „Kein Bücherregal ist illegal, egal welche Bücher da stehen, genauso wie kein Mensch illegal ist, selbst wenn er mit einem Akzent spricht."

Der Akzent bringt unerwartet zwei Wörter zusammen, die normalerweise nicht ähnlich klingen. In meinem Akzent hören sich die „Zelle" und die „Seele" ähnlich an.

Es ist nicht meine Aufgabe, eine regionale Färbung, einen ausländischen Akzent, einen Soziolekt und einen Sprachfehler medizinischer Art voneinander zu unterscheiden. Stattdessen schlage ich vor, jede Abweichung als eine Chance für die Poesie wahrzunehmen.

Es kommt mir komisch vor, dass ich von einer „Abweichung" spreche, denn ich bin nicht sicher, ob es überhaupt den „Standard" gibt. Im Sprachunterricht in Japan habe ich gelernt, dass das reinste Hochdeutsch in Hannover zu finden sei, und zwar auf einer Theaterbühne und nicht irgendwo auf der Straße. Aber es gibt keinen Menschen, der in einem Hannoveraner Theater geboren wurde und nie das Theatergebäude verlassen hat. Also gibt es keinen Menschen ohne Akzent, so wie es keinen Menschen ohne Falten im Gesicht gibt. Der Akzent ist das Gesicht der gesprochenen Sprache, und ihre Falten um die Augen und in der Stirn zeichnen jede Sekunde eine neue Landschaft. Der Sprecher hat all diese fernen Landschaften durchlebt, mitgeprägt, vertont, mitgestaltet, ernährt, unterstützt, vielleicht auch zerstört, und das zeigt sich in seiner Aussprache. Sein Akzent ist seine Autobiografie, die rückwirkend in die neue Sprache hineingeschrieben wird.

Der Akzent ist eine großzügige Einladung zu einer Reise in die geografische und kulturelle Ferne. In einer modernen Großstadt muss man stets darauf gefasst sein, mitten in der Mittagspause auf eine Weltreise geschickt zu werden. Eine Kellnerin öffnet ihren Mund, schon bin ich unterwegs nach Moskau, nach Paris oder nach Istanbul. Die Mundhöhle der Kellnerin ist der Nachthimmel, darunter liegt ihre Zunge, die den eurasischen Kontinent verkörpert. Ihr Atemzug ist der Orient-Express. Ich steige ein.

Wer mit Akzent spricht, fühlt sich zu Hause. Der Akzent ist seine Eigentumswohnung im wahren Sinne des Wortes, denn er ist sein Eigentum, das ihm selbst in der Zeit der Wirtschaftskrise nicht abhandenkommt. Er trägt ihn immer mit sich im Mund und kann somit immer in den eigenen vier Wänden gemütlich seine Fremdsprache sprechen.

Gäbe es keinen Akzent mehr, bestünde die Gefahr, dass man schnell vergisst, wie unterschiedlich die Menschen sind.

Der Akzent gibt den Menschen auch Mut, denn er ist ein lebender Beweis dafür, dass auch ein Erwachsener noch eine ganz exotische Sprache lernen kann. Hätte er sie schon als kleines Kind gelernt, hätte er keinen Akzent. Auch im hohen Alter können wir unseren Gaumen erweitern, uns neue fiktive Zähne wachsen lassen, die Muskeln des Mundwerkes trainieren, mehr Speichel produzieren und unsere Gehirnzellen durchkneten und durchlüften. Das Ziel der Sprachlernenden ist nicht, sich dem Zielort anzupassen. Man kann immer wieder eine neue Sprache lernen und die alten Sprachen als Akzent beibehalten.

Wer keinen Akzent hat und nicht fremd aussieht, aber aus der Ferne kommt, hat es schwer. Die Tochter meiner deutschen Bekannten zum Beispiel, die in den USA geboren und aufgewachsen ist, hatte Angst, in Deutschland zum Postamt zu gehen. Denn sie hat gar keinen Akzent, wenn sie deutsch spricht, aber sie versteht nur noch Bahnhof, wenn der Postangestellte von „Einschreiben", „Nachnahme" oder „unfrei" spricht. Hätte sie einen Akzent, würde man ihr verständnisvoll in Ruhe diese Wörter erklären. Aber sie hat leider gar keinen Akzent. Sie sagte mir, man würde denken, sie sei nicht ganz „dicht".

Es kann für mehrsprachige Dichterinnen und Dichter ein Vorteil sein, wenn die Wände in ihrem Gehirn „nicht ganz dicht" sind. Durch die undichte Wand sickert der Klang einer Sprache in eine andere hinein und erzeugt eine atonale Musik.

Wollen wir heute Abend Fondue essen oder lieber Couscous? Das luxuriöse Problem des modernen Großstadtlebens, das man „die Qual der Wahl" nennt, kann man mit dem Einsatz des Akzentes schnell lösen. Wer mit Akzent spricht, kann mehr als eine Sprache gleichzeitig auf die Zunge legen. Ein Schweizerdeutsch mit arabischem Akzent kann zum Beispiel ein kulinarischer Ohrenschmaus sein. Es ist nicht mehr notwendig, sich für das Fondue oder für den Couscous zu entscheiden.

Es gibt Menschen, die einen Sprecher mit Akzent unbewusst abwerten. Kaum hören sie einen fremden Sprachklang, schon werden in ihnen Hormone ausgeschüttet, die als Gefahrensignal ihre Gehirnzellen erreichen. Ich weiß nicht, ob diese Gene aus der Steinzeit stammen oder durch die modernen Massenmedien manipuliert sind. Dabei ist die Geschichte voll von positiven Erfahrungen mit fremdländischen Akzenten. Ohne Menschen mit niederländischem Akzent wäre zum Beispiel die deutsche Hauptstadt heute noch ein Sumpf.

Es kann sonnig, musikalisch, befreiend und spannend klingen, wenn jemand „süßländisch" spricht, aber wenn er deshalb keinen Job bekommt, ist seine Stimme bald nicht mehr zu hören. Ist es nicht nachteilig, wenn seine Sprache „mafi-asiatisch" oder „ka-osmanisch" klingt, wenn ein Jugendlicher bei der Polizei verhört wird?

Man spricht heutzutage vom „Migrations*hintergrund*", als wäre etwas Abgründiges grundsätzlich hinter dem Rücken versteckt. Der Akzent ist der *Vordergrund* der Migration.

Auch die einheimischen Zungen sprechen mit unterschiedlichem Akzent. Manche versuchen, ihn zu tilgen. Sonst hört man die peinlichen Lebensbedingungen, in denen sie aufgewachsen sind. Und welche Bedingung ist schon nicht peinlich? Ein Münchner hat einen Vater, der durch sein gnadenloses Bankgeschäft immer reicher wird, und das ist für seinen Sohn, der Literatur studiert, äußerst peinlich. Eine Frau in Düsseldorf hatte eine Mutter, die aus der Provinz stammte, also nicht aus Düsseldorf, sondern aus einem richtigen Dorf, und das fand die Tochter peinlich. Zu Unrecht. Aber man kann ihr nicht durch eine Moralpredigt ihr Schamgefühl nehmen.

Zum Glück schaffen wir es nie, ganz ohne jeden Akzent zu sprechen. Sonst würde unsere Sprache farblos, angepasst, uninteressant, verklemmt, steif, ängstlich, monoton oder kalt klingen. Sie wäre dann nur noch ein verfaulter Überrest von dem, was die gesprochene Sprache sein kann.

Schreiben im Netz der Sprachen

1

Als ich nach Europa kam, hatte ich einige brennende Fragen in meiner Reisetasche:

Werde ich zu einem anderen Menschen, wenn ich eine andere Sprache spreche?

Sieht ein Seepferdchen anders aus, wenn es nicht mehr „tatsu-no-otoshigo" (das verlorene Kind des Drachen) heißt, sondern das kleine Pferd aus der See?

Werde ich den Reis nicht mehr kochen, sondern gleich roh essen, wenn es nur ein Wort „Reis" für den gekochten Reis (gohan) und den rohen Reis (kome) gibt?

Muss ich immer eine dicke Suppe kochen, wenn ich nicht mehr „Suppe trinken", sondern „Suppe essen" sagen soll?

Habe ich doppelt so viel Zeit nach der Arbeit, wenn es für den Zeitraum zwei Worte – „Abend" und

„Nacht" – gibt? Am „Abend" kann man ins Theater gehen und in der „Nacht" schlafen. Im Japanischen gibt es nur ein Wort, „yoru", für den Abend und die Nacht, deshalb schläft man zu kurz.

Werde ich mit einem größeren Selbstwertgefühl studieren, wenn eine Seminararbeit auch als „Arbeit" bezeichnet wird wie alle anderen Arbeiten in der Gesellschaft? Kann man dann mit gutem Gewissen jahrelang an der Arbeit schreiben? Im Japanischen ist leider alles, was zum Lernen (benkyo) gehört, keine Arbeit (shigoto).

Nun lebe ich schon seit zwanzig Jahren in Hamburg. „Bist du zu einem anderen Menschen geworden?", fragt man mich. „Bist du ein anderer Mensch, wenn du deutsch sprichst?", fragt man mich. Diese Fragen lassen sich nicht so leicht beantworten. Wenn man beim Erlernen einer Sprache eine zusätzliche Persönlichkeit gewinnen sollte, müsste einer, der fünf Sprachen spricht, fünf Persönlichkeiten besitzen. Sollte dieser Mensch aussehen wie ein Jahrmarkt mit fünf verschiedenen folkloristischen Verkaufsbuden? Ich habe keine einzige Bude. Eher ähnele ich einem Netz. Ein Netz verdichtet seine Struktur, wenn neue Züge aufgenommen werden. Dadurch entsteht ein neues Muster. Es gibt immer mehr Knoten, Unregelmäßigkeiten der dichten und lockeren Stellen, unvollendete Ecken, Zipfel, Löcher oder Überlagerungen. Dieses Netz, mit dem man winziges Plankton fangen kann, bezeichne ich als mehrsprachiges Netz.

2

Es gibt viele japanische Wörter, die das Wort „do"
enthalten. „do" („tao" auf Chinesisch) bedeutet der
‚Weg', und die Tätigkeiten wie Judo, Aikido, Shodo
(Kalligrafie), Kado (Ikebana), Sado (Teezeremonie)
sind Versuche, den ‚Weg', das heißt den Lauf des
einzelnen Lebens oder den der Geschichte, zu begreifen. (Übrigens gefällt mir das Wort „Weg" nicht
ganz, denn man bekommt das Gefühl, dass der
„Weg" ein Ziel haben muss, ja sogar zur Wahrheit
führen muss. Ich übersetzte dieses Wort deshalb
manchmal mit „Straße". Dann hieße das Ikebana
„Blumenstraße", die Kalligrafie „Schriftstraße" und
das Judo „Elastische Straße". Das klingt viel offe-
ner, anregender und witziger.)

Im modernen Leben gehört das Judo zum Sport,
während die Kalligrafie zur Kunst gehört. Sie haben dann nichts mehr miteinander zu tun. Aber
das kleine Element in der Sprache – „do" – hält
sie zusammen, selbst wenn dem Sprecher das nicht
bewusst ist.

Einem, der in einer Fremdsprache lebt, werden solche Zusammenhänge eher bewusst, weil er gelegentlich Wörter aus einer Sprache in eine andere
übersetzen muss. Historische Spuren und versteckte
Strickmuster einer Sprache werden im Spiegel der
Übersetzung sichtbar. Die Muster werden dadurch
stärker präsent, gleichzeitig werden sie abstrahiert
und entleibt. Ich kann zum Beispiel nicht mehr ein

Wort wie „Hokkaido" einfach so aussprechen, als hätte das Wort eine unzerstörbare, natürliche Verbindung zu der Insel, die so heißt. Ich fange sofort an, den Ortsnamen auseinanderzunehmen oder direkt in eine andere Sprache zu übersetzen. Nicht wenige Autoren verabscheuen so ein krankhaftes Verhältnis zu ihrer Muttersprache und vermeiden es, im Ausland zu leben. Aber ich sehe eine Chance in dieser zerstörten Beziehung zur Muttersprache und zur Sprache überhaupt. Man wird ein Wort-Fetischist. Jeden Teil oder sogar jeden Buchstaben kann man anfassen und ändern, man sieht nicht mehr die semantische Einheit, und man lässt sich nicht im Fluss der Rede treiben. Man bleibt überall stehen und macht Nahaufnahmen der Details. Die Vergrößerung der Einzelteile ist verwirrend, weil sie vollkommen neue Bilder von einem vertrauten Objekt zeigt. Genau wie man durch ein Mikroskop die eigene Mutter nicht wiedererkennen kann, kann man die eigene Muttersprache bei einer Nahaufnahme nicht wiedererkennen. Aber in der Kunst geht es nicht darum, die Mutter so darzustellen, dass man sie wiedererkennt.

Die kleinen Elemente eines Wortes verselbstständigen sich und gehen auf Reisen, um neue Verwandte in der Ferne zu finden.

In meinem Fall verselbstständigte sich das Element „do" in dem Moment, in dem eine Hamburger Bekannte mich bei einer Kalligrafie-Ausstellung fragte:

„Was heißt Shodo? Hat das was mit Judo zu tun?"
Die Existenz des Wortes „do" wurde mir bewusst, gleichzeitig wurde es entstellt, denn so, wie das Wort als Fremdwort ausgesprochen wurde, gingen der Tonfall und der Unterschied zwischen einem langen und einem kurzen Vokal verloren.

Etwas Ähnliches passiert auch auf der Schrift-Ebene: Einmal sah ich das Wort „Sado", die Teezeremonie, auf einem Plakat in einem Teeladen in Hamburg. Mit dem Buchstaben des Alphabets geschrieben sah das Wort genauso aus wie ein Fluss in Portugal. Vielleicht sollte man zu diesem Fluss gehen, um das Wasser für die Teezeremonie zu holen. Meine Gedanken gingen weiter: Mit einer Postposition „wa" würde das Wort „Sadowa" heißen, dann würde es gleich aussehen wie ein Ortsname in Tschechien. In meinem Kopf ist das Wort schon durch verschiedene Sprachlandschaften gereist, seitdem es in eine andere Schrift transkribiert wurde.

In der deutschen Sprache ist es eher unwahrscheinlich, dass ein Wort auf einem „do" endet, außer bei den Fremdwörtern wie „Avocado" oder „Tornado". Aber deutsche Musik kann durchaus auf einem „do" enden, besonders, wenn sie in C-Dur geschrieben ist. Die Psychoanalyse kann auf „Libido" enden.

Während die alte Wortkette (Judo-Aikido-Kado-Sado-Shodo usw.) eine historische Denkweise vermittelt, bietet eine neue Wortkette „Sado-Sado (der Fluss)-Sadowa-Avocado-Tornado-Libido" Assoziationsmöglichkeiten, die viel mit der Gegenwart zu tun haben, in der die Elemente aus verschiedenen Kulturen und Bereichen in einer überraschenden Weise zusammenkommen.

3

Wer in mehreren Sprachen lebt, bringt täglich Wörter aus verschiedenen Sprachen zusammen. Bei einer Übersetzung zum Beispiel erlebt man die Paarung zweier Wörter mit einer ähnlichen Bedeutung, die aber sonst nichts miteinander zu tun haben. Einmal suchte ich zusammen mit einer Kollegin am MIT nach einem deutschen Wort für das englische Wort „nonprofit". Eine relativ direkte Übersetzung wäre „gewinnlos", aber es klingt, als hätte man eigentlich gerne Gewinn gehabt. Wie nennt man die tugendhafte Haltung, auf den finanziellen Gewinn zu verzichten? Wir fragten einen Kollegen, der uns dann die Antwort gab: „gemeinnützig" heiße das auf Deutsch. Er hatte recht, dennoch lag ein Ozean zwischen beiden Wörtern. In einem solchen Moment stellt man die Konzepte, die den Wörtern zugrunde liegen, in Frage, anstatt sich über die Übersetzung zu freuen. Auf einmal befremdete mich das englische Wort „nonprofit". Denn der Verzicht auf den Profit kann nicht gleich Nützlichkeit für die Gemeinde bedeuten. Das deutsche Wort „gemeinnützig" ist auch verdächtig. Wer außer den

Politikern und religiösen Organisationen behauptet hemmungslos, dass ihre Aktivitäten dem allgemeinen Wohl dienen? Dieses Wort wird normalerweise nur in der Steuererklärung benutzt.

Wenn ein deutsches Wort ähnlich aussieht wie ein englisches, ist es meistens auch etymologisch verwandt. Dennoch können die heutigen Bedeutungen ganz unterschiedlich sein. Eine Hamburger Freundin von mir erzählte mir, dass sie als Schülerin viele amerikanische Krimis im Original gelesen und sich darüber gewundert hätte, warum so viele Kaukasier umgebracht werden. Es stand dort nämlich immer wieder: Die Leiche, die gefunden wurde, war mittelgroß, weiblich, „caucasian". Im Deutschen bezeichnet man mit dem Wort „Kaukasier" wirklich nur die Menschen, die aus dem Gebiet zwischen dem Schwarzen Meer und dem Kaspischen Meer stammen.

Wenn ich zwei Wörter, die gleich klingen, aus dem Japanischen und aus dem Deutschen zusammensuche, sind sie meistens nicht historisch verwandt. Eine Sorte Nudelsuppe heißt zum Beispiel genau wie das deutsche Wort „Rahmen". Ein Laden, in dem man diese Nudeln kaufen kann, könnte „Rahmenhandlung" heißen. Die beiden Wörter haben natürlich historisch nichts miteinander zu tun. Deshalb wird ein solches Phänomen nicht ernst genommen und als Zufall abgetan. Menschen mit steifem Gehirn würden mich fragen: Wozu muss man sich mit so einer Wortspielerei beschäftigen?

Im heutigen Leben sieht man ständig Wörter und Bilder aus verschiedenen Welten nebeneinanderstehen. Durch Migration, Weltreisen oder Surfen im Internet befindet man sich immer häufiger in einer Situation, in der das Nebeneinander bereits existiert, ohne dass ein entsprechender Denkraum entwickelt worden ist. Manchmal fahre ich mit dem Bus durch die Stadt und bin umgeben von mehreren Gesprächen in verschiedenen Sprachen. Zwei Sätze, die zufällig direkt hintereinander in meine Ohren dringen, haben noch keinen gemeinsamen Raum. Man braucht eine Rahmenhandlung, um diese Sätze miteinander zu verbinden.

Die Geschichte der absurden Verbindung zwischen zwei Wörtern hat nicht erst jetzt angefangen. Die Surrealisten haben sich einen Operationstisch ausgedacht, auf dem eine Tretnähmaschine mit einem Regenschirm zusammenkommen konnte. Man kann auch durch den Reim in einem Gedicht zwei Wörter in Verbindung setzen. Ich denke an ein Gedicht aus Goethes „West-östlichem Divan", in dem sich „fort" mit „Wort" reimt. An einer späteren Stelle in demselben Gedicht reimen sich auch „Orte" und „Worte". Die drei Wörter „fort", „Ort" und „Wort" haben etymologisch nichts miteinander zu tun, daher ist diese Verbindung auch eine „Wortspielerei", aber weil der Reim als dichterisches Mittel zur Tradition gemacht wurde, betrachtet man den Reim nicht als Spiel.

Jedes Mal, wenn ich diese drei Wörter zusammen denke, blitzt es in meinem Kopf. Worte schaffen Orte, aber an dem Ort, an dem man sich befindet, ist man immer bereits fort.

4

Wenn man zwei weit auseinanderliegende Wörter miteinander verbindet, wird im Kopf eine Art Elektrizität erzeugt. Es blitzt, es ist ein schönes Gefühl. Der leuchtende Bildschirm eines Computers macht uns deshalb süchtig, weil er uns an diesen Blitz erinnert. Eine E-Mail von einem langweiligen Menschen ist eigentlich genauso langweilig wie sein handgeschriebener Brief. Aber jede E-Mail kann Lebendigkeit durch die elektronisch leuchtende Schriftoberfläche vortäuschen. Die Information, die man im Internet durch das Link-Verfahren bekommt, ist nicht interessanter als die Information, die man in einer Bibliothek findet. Aber das elektrische Leuchten erinnert an jenen glücklichen Moment, in dem es im eigenen Kopf geblitzt hat. Man muss heute keine Energie mehr aus dem Körper verwenden, sie fließt aus der Steckdose. Aber Vorsicht! Der leuchtende Bildschirm ist mit dem Kokain vergleichbar. Während einem Menschen pausenlos Höhepunkte geschenkt werden, ist sein Körper schnell aufgebraucht. Außerdem ist es meistens nur Einbildung, dass ein elektrisch leuchtender Text auch inhaltlich so „glänzend" und „brillant" wäre.

Man kann eine ähnliche Substanz wie Drogen biologisch im eigenen Körper herstellen. Genauso kann man Elektrizität im eigenen Kopf erzeugen. Das ist zwar mühsam, geht nur langsam, klappt nicht immer, aber dieses Verfahren hat viele Vorteile gegenüber dem Kokain.

Ich rede nicht in Metaphern, wenn ich sage, es blitzt in meinem Kopf. Vielmehr möchte ich das Gegenteil sagen: was die Computertechnik mit Hilfe der Elektrizität verwirklicht, ist die Nachahmung des alten Blitzgefühls im Kopf.

Vieles in der Computertechnik ist die Verdinglichung alter Beziehungsmuster zwischen Büchern und Menschen. Den Hypertext zum Beispiel gab es schon immer als Fußnote. Während die kleingedruckten, neurotisch-peniblen Fußnoten eines schriftbesessenen Wissenschaftlers oft nach Bibliotheksstaub riechen und ein Stück wahnsinniger Leidenschaft vermitteln, ist ein Hypertext nichts weiter als eine Information.

Ein interaktives Spiel gab es zwischen einem Text und seinen Lesern seit ein paar tausend Jahren. Wie wir alle wissen, verwandelt sich ein Text bei jeder Lektüre.

Daher muss man die Computertechnik nicht als Erweiterung unseres literarischen Lebens betrachten, sondern als eine sinnlose Formbeschränkung verstehen und damit kreativ arbeiten. Wie man bei der

Regelung des Reimes, des Anagramms oder der Haiku sehen kann, spielen die strengen Formregelungen, die zuerst dem Gefühl gegenüber fremd und äußerlich erscheinen, für die Dichtung eine wichtige Rolle. Durch solche Spielregeln kann nämlich das unendliche Wissen des Autors von einer bewussten Ordnung befreit werden, die es sonst verwaltet.

Auch ich habe manchmal die Unfähigkeit des Computers als kreative Störung in meine Arbeit eingesetzt, besonders seine Unfähigkeit, die phonetischen Schriftzeichen in ein Ideogramm umzusetzen. Wenn ich mit dem Computer Japanisch schreibe, muss ich zuerst phonetische Schriftzeichen (entweder die japanische Hiragana-Schrift oder das Alphabet) eintippen. Weil nicht so viele Tasten auf der Tastatur angebracht werden können, gibt es keinen Computer mit Ideogramm-Tasten. Am Ende jedes Satzteiles drücke ich die Leertaste, um die bestimmten Begriffe in Ideogramme umzusetzen. Da es aber ein paar tausend Ideogramme gibt, müsste der Computer den Inhalt des Textes verstehen, um immer das richtige Zeichen zu finden. Er kann aber den Inhalt des Textes nicht verstehen und sucht sich ein überraschendes Zeichen aus. Das ist auch für mich eine Chance, ein Wort von seinem Kontext und von seiner Bedeutung zu befreien und eine versteckte, schiefe Verwandtschaft mit einem ‚wildfremden' Wort zu entdecken.

Als ich gestern das Wort „Sado" (Teezeremonie) auf Japanisch schreiben wollte, tauchte plötzlich auf dem Bildschirm der Name jenes französischen Autors „Sade" auf. Wer hätte ihn mit der Teezeremonie in Verbindung gebracht? (Warum der Vokal „e" am Ende durch „o" ersetzt wurde, ist ein kompliziertes, langweiliges Problem, das ich hier nicht erklären möchte.) Nun hat der Computer den Inhalt meines Textes wieder nicht verstanden und diese beiden Wörter zusammengebracht. Die Geschichte, in der Marquis de Sade eine Teezeremonie durchführt, muss noch von einem Menschen geschrieben werden. Der Computer organisiert nur eine überraschende Begegnung, schreibt aber keine Geschichte, in der sich eine Beziehung entfaltet.

Ein ungeladener Gast

Gäste aus fernen Ländern werden hierzulande sehr freundlich empfangen. Mit ihnen redet man Englisch, und manche Deutsche machen einen fröhlichen Eindruck, wenn sie Englisch reden dürfen, als könnten sie sich dadurch von Leistungsdruck und Kontrollwahn, die in die deutsche Sprache hineingewachsen sind, befreien.

Ein tschechischer Nachbar meiner japanischen Bekannten in Kalifornien erzählte mir einmal, dass er in Deutschland viel lieber Englisch spreche als Deutsch. Er wird als Gast aus Amerika freundlich behandelt, solange er Englisch spricht. Wechsele er aber zu Deutsch, werde er wegen seines leichten Akzentes sofort zur Kategorie Mitteleuropa (was viele Deutsche insgeheim „Osteuropa" nennen) zugeordnet, und damit verliert er den Status des Gastes, aber er wird auch nicht ins Wohnzimmer der deutschen Sprache eingelassen, obwohl jeder weiß, dass ein wichtiger Teil der deutschsprachigen

Literatur an den Orten, die heute zu Tschechien, Rumänien oder Polen gehören, entstanden ist.

Der Tscheche aus Kalifornien fragte mich nach meiner Erfahrung in Deutschland. In meinem Fall, musste ich zugeben, ist der „Akzent" in meinem Gesicht noch größer als der in meiner Aussprache, sodass ich sofort anhand meiner äußeren Erscheinung kategorisiert werde. Dabei spielt es keine Rolle, welche Sprache ich spreche. Ich werde auch freundlich ins familiäre Wohnzimmer eingeladen, weil bei mir nicht die Gefahr besteht, eine innere Fremde zu werden, die man nicht sofort als solche erkennen kann.

Aber es gibt doch Bildungsbürger, die mich mit Bemerkungen wie „Es ist erstaunlich, wie gut Sie Deutsch sprechen!" so oft unterbrechen, dass ich mich ausgegrenzt fühle und nicht weiterreden kann. Oder sie fragen mich ständig, ob ich dieses und jenes deutsche Wort kennen würde. Die Auswahl dieser Wörter verrät meistens, dass sie sich selber nie mit einer Fremdsprache intensiv beschäftigt haben. Anscheinend ist es für sie unheimlich, dass jemand weder dazugehört noch fremd ist.

Manche glauben, das Erlernen einer Fremdsprache sei Leistungssport, und jeder Muttersprachler könne die Leistung messen. Dabei benutzen sie ihren bürgerlichen Geschmack als Messgerät. Wer den besitzt, kann sofort die genaue Zahl vom Gerät ablesen und sagen, wie gut ein Satz formuliert ist. Der eigene Geschmackssinn kann aber auch zum Verhängnis werden. Es hat lange gedauert, bis ich mich gegenüber meiner Muttersprache, Japanisch, so weit öffnen konnte, dass ich die Sätze, über die die meisten Japaner stolpern würden, schätzen lernte.

Ernst Jandl war einer, der hemmungslos auf die deutsche Grammatik hämmerte und aus ihr eine Musik machte, eine Art Schlagzeugmusik.

„schreiben und reden in einen heruntergekommenen sprachen
sein ein demonstrieren, sein ein es zeigen, wie weit es gekommen sein mit einen solchenen: seinen mistigen leben er nun nehmen auf den schaufeln von worten und es demonstrieren als einen den stinkigen haufen denen es seien. es nicht mehr geben einen beschönigen nichts mehr verstellungen. oder sein worten, auch stinkigen
auch heruntergekommenen sprachen – worten in jedenen fallen
einen masken vor den wahren gesichten denen zerfressenen
haben den aussatz. das sein ein fragen, einen tötenen."
(Ernst Jandl „von einen sprachen")

Die Muttersprache auseinanderzunehmen und daraus eine neue Baustelle zu machen, ist eine Knochenarbeit. Eine andere, aber genauso spannende

Arbeit besteht darin, mit einer Fremdsprache, die mit einer ewigen Baustelle vergleichbar ist, literarisch umzugehen.

Beim Schreiben fallen mir viele Fragen ein, in der die linguistischen Themen poetologische Bedeutung bekommen. Zum Beispiel: Warum gibt es die Singular- und Pluralform? Warum nimmt man den Unterschied zwischen einem Apfel und zwei Äpfeln so ernst, dass man sogar die Form des Apfels ändern muss, wenn der Unterschied zwischen zwei Äpfeln und drei Äpfeln egal ist? Wie kann man den Sonderstatus der Singularität begründen? Sollte jemand, der nicht monotheistisch eingestellt ist, trotzdem diese grammatikalische Regel akzeptieren? In der russischen Sprache gibt es eine Form zwischen Singular und Plural, die für die Menge zwischen zwei und vier zuständig ist. Das sind die Heiligen, die zwischen dem einen Gott und dem Volk der Pluralität stehen. Als ich in München zum ersten Mal die Begrüßung „Grüß Gott!" hörte, fragte ich mich spontan: Welchen Gott soll ich grüßen? Es gibt ungefähr acht Milliarden Götter in Japan, aber keinen einzigen Artikel.

All diese Gedanken, die mir einfallen, haben sicher damit zu tun, dass ich Japanisch kann. Aber meine Gedanken kann man nicht ins Asylheim einsperren, das man japanische Herkunft nennt.

Die Kritiker, die glauben, sie könnten wie Schullehrer jeder literarischen Arbeit eine Note geben, können keinen Text unbenotet behalten. Was er nicht sofort beurteilen kann, kann er nicht in seinem monokulturell sauber aufgeräumten Denkraum dulden. Entweder landet die unbenotete Arbeit im Papierkorb oder sie wird auf einen fernen Ort, auf die „Herkunft", abgeschoben. Weil sie sich auf ihren bürgerlichen Geschmack blind verlassen, können sie oft das Fremdartige nur als das Minderwertige wahrnehmen. So können sie das Fremdartige entweder als negativ benoten oder auf seine „fremde Herkunft" verweisen, um es aus der „eigenen" Gegenwart auszusperren. Die letztere Methode ist sicherer, wenn man auf keinen Fall als fremdenfeindlich, islamfeindlich, antisemitisch oder eurozentristisch gelten will.

Die „Herkunft" ist die Insel für den Vollstreckungsaufschub. Manche Autoren sind froh darüber, dass sie nicht sofort umgebracht worden sind. Andere sterben in Einsamkeit. Die Verbannungsinsel liegt so weit weg, dass ihre Existenz ohne Probleme vergessen werden kann.

Einmal traf mich der Begriff der Herkunft wie ein Blitz, der die dunkle Verbindung zwischen Celans Zeit und meiner Zeit beleuchtete und mich mit seinem Schlag verletzte. Es passierte in einer Rezension über Paul Celan, die ich in seinem Briefwechsel mit Ingeborg Bachmann las.

„Celan hat der deutschen Sprache gegenüber eine größere Freiheit als die meisten seiner dichtenden Kollegen. Das mag an seiner Herkunft liegen. Der Kommunikationscharakter der Sprache hemmt und belastet ihn weniger als andere. Freilich wird er gerade dadurch oftmals dazu verführt, im Leeren zu agieren."
(Ingeborg Bachmann/Paul Celan: „Herzzeit. Briefwechsel" Frankfurt/M. 2008, S. 124-125)

Nachdem ich diese Stelle der Rezension einige Male gelesen hatte, waren meine Körperzellen vor Angst und Wut wie gelähmt. Ich war schockiert, weil mir das Ablehnungsmuster vom Kritiker Günter Blöcker bekannt vorkam. Man findet es heutzutage nicht nur in einer offensichtlichen Ablehnung wieder, sondern auch in einer Befürwortung. Ich höre immer wieder, ich würde wegen meiner „Herkunft" der deutschen Sprache gegenüber eine große „Freiheit" besitzen und deshalb neue Blicke in die deutsche Kultur „hineinbringen", solange ich nicht „im Leeren" agiere.

Die Dichtung versucht stets, die Sprache von der kommunikativen Kompromissform zu befreien, und die Herkunft der Freiheit befindet sich für jeden dichtenden Kollegen hier und jetzt.

In den fünfziger Jahren bestand für Celan keine konkrete Gefahr, wegen seines Judentums umgebracht zu werden, und die meisten Intellektuellen wollten auf keinen Fall als antisemitisch gelten. Celans Zeitgenossen dachten, dass er in Bezug auf die Rezension überreagiert habe, weil er „krank" war oder, wie man heute gerne sagt, durch seine Vergangenheit „traumatisiert" war, das heißt, wegen der Vergangenheit sich kein „realis-tisches" Bild von der Gegenwart machen könne. Der Gegenwart wird ein realistischer Charakter zugeschrieben, während aus der Vergangenheit ein Fälscher gemacht wird. In Celans Poesie gibt es keine „Vergangenheit", die vergangen ist, sondern das Gedächtnis, das im Rausch funktioniert.

Celan thematisiert in seinem Brief an die Feuilleton-Redaktion den Begriff der Herkunft, der eigentlich eine „grafische" (und nicht geografische oder topografische) Umstrukturierung der Gegenwart bedeuten könnte, aber in diesem Fall als Verbannungsort, als Alternative zur Vernichtung angeboten wurde.

Im heutigen Deutschland ist es kein Tabu, ein Tabu zu brechen. Wer das bewusst tut, kann stolz auf sich sein. Ein Provokant bekommt, wenn er Glück hat, eine Kritik zurück, aber sie verletzt ihn nicht. Celan schrieb seine Gedichte nicht als Provokation. Als er abgelehnt wurde, bemerkte er, dass er genau den wunden Punkt derjenigen getroffen hatte, die ihn aggressiv ablehnen mussten. Seinen Kollegen fehlte das Gespür dafür, wie eng und provinziell der Geschmack der Zeit war, nach dem die Literatur beurteilt wurde. Das Wort „Geschmack" klingt harmlos, ist es aber nicht, denn der Geschmackssinn kann das Leben retten oder vernichten. Wenn ein Körper kein anspruchsvolles Nahrungsmittel akzeptiert, das exotisch, neu, alternativ oder ungewöhnlich schmeckt, kann das eventuell daran liegen, dass er geschwächt oder krank ist.

Celan war ungeschützt und verletzlich, weil er keine Provokation beabsichtigte. Ihm wird der fehlende Kommunikationswille vorgeworfen, was absurd ist, denn er war mehr als kommunikativ: Er hatte sich selbst schonungslos der Sprache gegenüber geöffnet, ohne seine Dichterperson durch ein Manifest zu schützen. Damit hat er auch diese eine Sprache, Deutsch, so weit geöffnet, dass sie aufhörte, eine Sprache zu sein.

Jeder Fisch mit Schuppen hat auch Flossen

Zwei Onkel von mir, die als buddhistische Priester tätig waren, pflegten in ihrer Freizeit Gedichte und Essays zu schreiben. Schon im Mittelalter griffen die Mönche gern nach ihren Pinseln, um sich die Zeit zu vertreiben. Zumindest behaupteten sie, dass nichts anderes als die Langeweile und die Einsamkeit sie zum Schreiben brächten. Der Pinsel kann ein treuer Begleiter des Glaubens sein, aber seine poetischen Züge entgleisen gern und treffen Gedanken, die vom Autor nicht vorgesehen waren. Ein Autor aus dem vierzehnten Jahrhundert, Kenkohoshi, verzichtete auf seinen Samurai-Status, wurde Mönch und schrieb den Essayband „Tsurezuregusa". Obwohl dieses Buch in meiner Schulzeit zur Pflichtlektüre gehörte, las ich es gern, weil es mir eine widersprüchliche und gleichzeitig kluge Lebenshaltung zeigte: auf das weltliche Leben verzichten und gleichzeitig an den Menschen und Gegenständen unermüdlich interessiert sein. Auch wenn er sein Schreiben nicht als automatisches Schreiben bezeichnete, ließ er seinen Pinsel frei gleiten, und der fing den schwindelerregenden Duft ein, der aus dem Kimono einer Frau aufsteigt, und die strahlende Haut einer weiblichen Wade. Der Pinsel streifte über Themen wie Architektur, Blumen, die Ehe, die Fuchsgötter und alles Mögliche, was im Leben vorkommt. „Zuihitsu" – so heißt diese literarische Gattung – bedeutet nichts anderes als „einem Pinsel folgen".

Im letzten Frühjahr las ich zufällig in einem Essay von meinem jüngeren Onkel, dass Gautama Siddharta wahrscheinlich an verdorbenem Schweinefleisch gestorben ist. Ich erschrak und dachte, ich darf niemals meinen Freundinnen in Deutschland, die den Dalai Lama verehren und vegetarisch leben, erzählen, dass Buddha überhaupt Schweinefleisch gegessen habe. Wäre er tausend Jahre später geboren, hätte er sich zu den Moslems gesellt, die aus gutem Grund das Schweinefleisch vermieden. Nietzsche schreibt, dass der Begriff der Reinheit im Altertum „grob, plump, äußerlich, eng, geradezu und insbesondere unsymbolisch verstanden worden" sei („Zur Genealogie der Moral", Gesammelte Werke, Bindlach 2005. S. 966). Rein sei vor allem derjenige gewesen, der sich gewaschen und jedes Lebensmittel vermieden habe, das Krankheiten verursachen könnte.

Manche Autoren träumen davon, die Wörter zu waschen, um sie von jeder symbolischen Bedeutung zu reinigen. Aber die Sprache möchte lieber unrein bleiben. Die Wörtlichkeit eines Wortes stellt keine Reinheit dar, sondern sie macht das Wort essbar. Man kann durch den Verzicht auf Schweinefleisch keine Schweinereien vermeiden, aber das Schwein aus dem Wort „Schweinerei" herauszunehmen und auf den Tisch zu stellen, ist für mich ein politischer Akt.

Viele junge Frauen fühlen sich schlank, sauber und jungfräulich, wenn sie sich ausschließlich von grünen Blättern ernähren. Andere Vegetarier begründen ihre Haltung ethisch, politisch oder mit Hilfe der Ernährungswissenschaft. Eine Freundin von mir sagte einmal, ein Säugetier zu töten, verstoße gegen ihre Moral. Sie habe als Kind jeden Abend Fleisch gegessen und in der Pubertät damit aufgehört. Weihnachten sei ein Fest der größten Qual für sie. An diesen dunkelsten Tagen des Jahres muss man eigentlich sterben. Da man aber selber nicht sterben will, schlachtet man eine Ente oder eine Gans oder zum Beispiel, wie in Hamburg, einen Karpfen. Wenn die Sonnengöttin mit der Opfergabe zufrieden ist, lässt sie sich wieder blicken. Der an Weihnachten gestorbene Karpfen wird am Ostermontag als Hase wiedergeboren. Er besteht aus Schokolade und legt bemalte Eier.

Als ich meine vegetarische Freundin das letzte Mal auf der Frankfurter Buchmesse traf, wollte sie mit mir Sushi essen gehen. Ich fragte sie, ob sie nichts dagegen habe, einen Fisch zu töten. Sie antwortete sofort, der Fisch habe ein so kurzes Gedächtnis wie die meisten Politiker. Ein Lachs weiß im Jahr 2001 schon nicht mehr, wie kalt sich der Kalte Krieg in Afghanistan angefühlt hat. Ein Hund hingegen vergisst nie die Gewalt, die er als „Kind" erlebt oder sogar nur gesehen hat. Wir gingen Sushi essen. Meine Stäbchen wanderten von einem Tintenfisch zu einem Thunfisch und endeten auf einer Scheibe Gurke, während ich über die Länge des Gedächtnisses weiter nachdachte. Wie lang ist das Gedächtnis einer Gurke? Weiß sie noch, wer sie gegossen hat? Wer sie gepflückt hat? Meistens ist das eine und dieselbe Person.

Manche Autoren schreiben einen langen autobiografischen Roman, als könnten sie dadurch die Länge ihres Gedächtnisses beweisen. Sie wollen sicher nicht wegen ihres kurzen Gedächtnisses bestraft und in ein Stück Sushi verwandelt werden.

Woher weiß aber meine Freundin, dass ein Schwein ein längeres Gedächtnis hat als ein Fisch? Es gibt eine buddhistische Legende, in der ein Fisch sich als ein wiedergeborener Mensch entpuppt. Sein Gedächtnis war länger als sein Leben.

Man ist, was man isst. Wer Schwein isst, ist selber ein Schwein. Die Menschen können nicht vor den Erinnerungen eines Schweins sicher sein. Wer sein Fleisch isst, isst seine Erinnerungen mit. „Die Todesangst deformiert die Zellen eines geschlachteten Tiers. Wenn ich sein Fleisch esse, wird seine Angst in meine Zellen übertragen, und zwar zusammen mit dem Antibiotikum und anderer Chemie!", be-

hauptete die Freundin. Für die Bio-Skeptiker stinkt diese Theorie moralisch und abergläubisch. Aber es kann tatsächlich sein, dass die Sprache der Materie genauer und komplexer ist als die menschliche Sprache. Es wäre daher sinnvoller, sich vor einen Tiger zu werfen als einen langen autobiografischen Roman zu schreiben. Meine Zellen würden dann in den Tigerzellen weiterleben, sodass ich nicht einmal an die Reinkarnation zu glauben bräuchte. Der Weg zum Tod ist kurz und unkompliziert. Eine U-Bahnfahrt, die zwei Euro und zehn Cent kostet und knapp zehn Minuten dauert, bringt mich zu einem Tiger. Im Berliner Zoo leben nicht nur Tiger, sondern auch der Eisbär Knut, der mit vielen Mythen verkleidet ist und globalen Erfolg hatte. Kein deutscher Politiker hat es geschafft, so oft in „The New York Times" zu erscheinen wie er. Knut ist nicht das geworden, was er gefressen hat. Obwohl er – nach einer der Knut-Mythen – als Kind amerikanisches Edelkatzenfutter bekommen hat, ist er weder zu einer Katze noch zu einem Amerikaner geworden. Über seine Ernährung wurden viele Details berichtet. Wir wissen heute genau darüber Bescheid, was Knut gespeist hat, aber wir wissen nicht so genau, was die Mönche im Altertum tatsächlich aßen.
Viele buddhistische Mönche meiden heute noch – zumindest in der Glaubensrichtung „Daijobukkyo" (= Mahayana – das große Fahrzeug) – Knoblauch, Ingwer und Chili. Man glaubte, dass die stinkenden und die scharfen Pflanzen als Aphrodisiakum wirken.

Der Ingwer ist der Ablassbrief der japanischen Küche im Ausland. Früher, als es noch keinen Kühlschrank gab, glaubte man, dass Ingwer Fisch desinfizieren könne. Das war vermutlich der Grund, warum man Sushi mit Ingwer aß. Heutzutage gibt es eigentlich keinen Grund mehr, Ingwer mit Sushi zu essen. In Berlin beobachte ich aber oft Gäste in Sushi-Bars, die haufenweise Ingwer essen. Der Fisch dient nur als Beilage. Entweder haben sie verdrängte Angst vor der Verdorbenheit oder sie essen den Ingwer aus demselben Grund, weshalb die buddhistischen Mönche ihn meiden.

Essen erregt Angst, auch wenn es sich nicht um einen Kugelfisch handelt. Es ist beunruhigend, einen Fremdkörper in sich aufzunehmen. Auch die Menschen, die sich stets gegen das Schwarzweiß-Denkschema wehren, möchten am liebsten genau wissen, welches Lebensmittel immer gut ist und welches schlecht oder sogar böse. Auch die politisch korrekten Menschen benutzen im Bezug auf Lebensmittel Wörter wie „schlecht", „ungesund", „fett", „billig", „primitiv" oder „exotisch", die sie auf ihre Mitmenschen niemals anwenden würden.

In meinem ersten Jahr in Deutschland habe ich ein Gericht gegessen, das aussah wie Rührei mit Tofu. In der Speisekarte stand das Wort „Hirn". Ich kannte das Wort „Hirt", aber nicht „Hirn". Die Speisekarte hat etwas Poetisches, und das merkt man nur, wenn man nicht zu hungrig oder – wie Walter Benjamin in Marseille – von Haschisch berauscht ist.

Er liest den Namen eines Gerichtes „Pâté de Lyon",
missdeutet ihn absichtlich und übersetzt ihn als „Lö-
wenpastete".

Die Namen der Speisen sind manchmal Deckna-
men: Im Japan der Edo-Zeit nannte man das Wild-
schwein, das man trotz Verbotes gelegentlich aß,
„Yama-kujira" (der Wal aus den Bergen). Wie gut,
dass man noch nicht wusste, dass der Wal kein Fisch
ist, und wie schlecht, dass man noch nicht wusste,
dass Buddha Schweinefleisch gegessen hatte.

Der Name des Getränkes „Pharisäer" bedeckt den
Rum unter seiner weißen Schaumhaube aus Sah-
ne. „Falscher Hase" gibt wenigstens in seinem Namen zu, dass er eine Fälschung ist. Die „Kanika-
maboko" wird in Deutschland unter dem Namen
„Surimi" verkauft, und manche Vegetarier essen
sie, weil dieser Name vegetarisch klingt. Die Pro-
duktbeschreibung „imitation crab", die man oft in
Amerika findet, würde in Deutschland zu negativ
klingen, denn die Imitation ist eine Art Lüge, und
das passt nicht zur Ethik der Bio-Läden. Die „Parodie" an Stelle der „Imitation" würde noch gehen.
Das Produkt könnte dann „die Parodie der Krab-
be" heißen.

Es gibt eine Art gebackenes Tofu, das „Ganmodoki" heißt. „Gan" bedeutet „Wildgans", und „Modoki" bedeutete im Mittelalter eine Komödienform, in
der die Schauspieler bestimmte Figuren scherzhaft
imitierten. Mit einem Wort: eine Parodie. Die Ganmodoki ist also eine Parodie der Wildgans.

Die Ganmodoki wird übrigens in Kyoto „Hiryozu"
(der Kopf des fliegenden Drachen) genannt. Langsam komme ich auf die Idee, dass die Speisekarte
eine literarische Gattung sein könnte. Ihre Sprache
versucht zu lügen, zu spinnen, zu träumen, weiter-
zudenken, neue Deutungen zu bieten und ihre Leser zu verführen. In feineren modernen Restaurants
werden jeden Tag die Angebote handschriftlich neu
aufgeschrieben. Die meistens sehr langen Namen
der Speisen zählen alles auf, was darin enthalten ist.
Damit man ohne Hilfe von Adjektiven fantasievolle
Speisenamen anbieten kann, werden verschiedene
Beeren in die Soße und tropische Blüten in den Sa-
lat gemischt. Niemals benutzt man Stereotypen wie
„Strammer Max" oder „Hering nach Hausfrauenart",
denn die Speisekarte soll eine gute Literatur werden.
Essen bedeutet fast immer das Töten anderer Lebewesen, aber die Brutalität der eigenen Essgewohn-
heit fällt einem nicht auf, weil sie von der Sprache
„bedeckt" und durch Regeln ritualisiert ist.
Das Hirn, das ich mir in Frankfurt bestellt hatte,
wurde auf einem silbernen Teller serviert. Der Tisch
war bedeckt mit einer weißen Tischdecke, die so
makellos war, dass ein kleiner Rotweinfleck sofort
wie ein dramatischer Blutfleck auffiel. Das Messer
war scharf, die Gabeln hatten Spitzen, als hätte ich
vor, ein totes Tier noch einmal zu töten. Wie bei
einer Beerdigung standen Kerzen und Blumen vor
meinen Augen, und all das kam mir wie das Opferungsritual eines Geheimbundes vor.

Wir können nicht Fleisch essen, ohne ein Tier zu töten, und die Ritualisierung des Essens ist ein Versuch, die Trauer bewusst und kollektiv zu überwinden. Selbst die Vegetarier töten Pflanzen. Selbst diejenigen, die nur auf den Boden gefallene Äpfel und Walnüsse essen, töten indirekt die Eichhörnchen, die sonst diese Nahrung gefunden hätten.

Wenn Essen eine Tötung voraussetzt, sollte man nicht vor dem Essen, sondern nach dem Essen seine Hände waschen wie Macbeth seine blutigen Hände. Oder man benutzt ein Besteck und macht sich seine Hände nicht schmutzig. Es gibt viele Regeln für den Gebrauch des Bestecks. Wenn man ein Messer oder ein Stäbchen falsch in der Hand hält, sehen sie sofort aus wie eine Waffe. Ich habe übrigens von Roland Barthes gelernt, das Besteck zu „lesen".

Man sollte allerdings nicht zu schnell die Stäbchen für ungefährlich erklären. Mit kleinen Kinderstäbchen habe ich als Kind Walfisch gegessen. Ich bin gegen den Walfang, aber die Idee des Artenschutzes bleibt mir etwas abstrakt. Als ich meiner Mutter sagte, dass der Thunfisch bald aussterben werde, sagte sie, dass sie selber vorher sterben werde. Der Tod betrifft nur das einzelne Lebewesen. Der Tod einer Spezies erinnert mich an den Tod der Literatur. Dank der Geschichte der Arche Noah lernte meine Freundin schon als Kind die Idee des Artenschutzes. Gott rettete aus jeder Spezies ein „Ehepaar". Ich nehme an, er wollte das Weiterleben aller geretteten Spezies bis zum Ende der Weltgeschichte. Große Flutkatastrophen gab es auch in Japan, aber keinen Gott, der vorher Biologie studiert hatte. Wie kann der Thunfisch aussterben, wenn jeder Mensch im nächsten Leben als Thunfisch wiedergeboren werden kann?

Meine vegetarische Freundin sagte mir: Wenn man keine Viehzucht treiben und alle Flächen für den Gemüsebau nutzen würde, könnte man viele arme Menschen aus ihrer Hungersnot retten. Dieser Vorschlag ist symbolisch zu verstehen, denn selbst wenn alle reichen Menschen sich vegetarisch ernähren würden, könnten sie nicht allein dadurch das Problem der Armut lösen.

Die Gentechnologie versucht den Konflikt zwischen dem Schuldgefühl und der Lust auf Fleisch zu lösen. In Amerika gibt es schon ein Labor, in dem aus einem Rinderfilet ein weiteres Filet wächst, ohne dass ein Stier oder eine Kuh zum Vorschein kommt. Das ist sicher einer der Amerika-Mythen in Europa, aber jeder Mythos verkörpert einen menschlichen Wunsch, und die Fleischindustrie ist auf dem Weg zur Realisierung dieses Wunsches.

Im Labor der Übersetzer arbeitet man ohne Gene. Dort springen aus einem einzigen Wort „ushi" viele neue essbare Wörter heraus: die Kuh, der Stier, der Bulle, der Ochse, das Kalb und das Rind.

Ich saß letztes Jahr in einer Sushi-Bar in Tokio mit einem russischen Autor – nennen wir ihn K – und einer Autorin J aus Tel Aviv. Wir redeten über die Literatur, unsere Reisen und über Fisch. K erzählte mir einen Japan-Mythos, den er in Moskau gehört hatte: Es gab einen geschickten japanischen Koch mit einem scharfen Messer. Er konnte so blitzschnell ein Stück Sashimi vom lebend schwimmenden Fischleib abschneiden, dass der Fisch nichts davon merkte. So schwamm der Fisch schmerzlos weiter, bis der fehlende Teil nachwuchs.

K erzählte dann, was Gontscharow in seinem Reisebericht über das japanische Essen geschrieben hatte. Der Autor des Romans „Oblomow" kam als Diplomat mit dem Schiff in Japan an und wurde mit seinen Kollegen zu einem vornehmen, offiziellen Essen eingeladen. Ihnen wurden unzählige Teller und Schüsselchen in mehreren Gängen serviert. Die Teller waren für russische Verhältnisse winzig klein und das Essen wahrscheinlich zu mager. Je mehr sie aßen, desto hungriger wurden sie. Als das Essen zu Ende ging, eilten sie zu ihrem Schiff und aßen sich endlich satt.

Die Autorin aus Tel Aviv, J, war der Meinung, dass dem japanischen Essen Fett fehlt, das dem Menschen das Sättigungsgefühl gibt. Ich war eher der Meinung, dass die vertrauten Rituale und Wörter im Ausland fehlen, die unseren imaginären Magen sättigen. Man soll nicht die Macht der Sprache unterschätzen und die Wirkung des Fettes überschätzen. Seitdem eine ältere Bekannte mir den Satz „Käse schließt den Magen" beigebracht hat, schließt sich mein Magen schon, wenn ich das Wort „Käse" höre.

J fragte mich, ob ich ihr ein japanisches Sprichwort beibringen könne. Mir fiel der Satz „Ein kranker Mensch entwickelt sich oft zum Feinschmecker" (Byonin wa shita ga koeru) ein. Die Kranken können sich keine Experimente oder Umwege mehr leisten. Sie müssen dringend nur das essen, was sie direkt zur Genesung führt. Außerdem haben ihre Körper keine Kraft mehr, etwas Unbekanntes oder etwas Gemischtes zu verstehen. Die Augen, die Zunge, der Magen und auch die Därme müssen jedes Nahrungsmittel interpretieren und es bearbeiten wie ein Literaturwissenschaftler seine Bücher. Die Autorin J aus Tel Aviv bestellte eine rote Muschel und sagte: „Jeder Fisch mit Schuppen hat auch Flossen." Ich lachte, wusste aber nicht, was dieser geheimnisvolle Satz bedeutete. J erklärte mir, dass die streng religiösen Menschen in ihrem Land nichts, was aus dem Meer kommt, aber keine Schuppen habe, esse. Nachdem sie das gesagt hatte, aß sie ihre rote Muschel auf und bestellte eine Portion Tintenfisch.

Was für eine verwirrende, aber poetische Bestimmung! Essen sie auch nicht, was vom Himmel kommt, aber keine Flügel hat? Oder etwas, was vom Schreibtisch kommt, aber nicht geschrieben ist?

J aß den Tintenfisch schnell auf und bestellte eine Seegurke. Sie sagte scherzhaft: „In Japan esse ich am liebsten, was aus dem Meer kommt und keine Schuppen hat." Ich verstand immer noch nicht, wie eine Religion sich ein so rätselhaftes Verbot ausdenken konnte. K sagte von der Seite: „Weder Fisch noch Fleisch: Das ist, was man vermeiden soll. Aber wir sind heutzutage irgendwie alle ein Mischwesen." Ich sagte: „Ach, ja, ein Mischwesen ist für den Magen und die Därme schwer zu interpretieren." K fügte hinzu: „Auch für die Fundamentalisten in jeder Religion ist es schwer zu interpretieren." Ich sagte: „Aber es wäre besser, wenn die Menschen lernen würden, einen Fisch ohne Schuppen zu lesen", und bestellte eine Kalifornienrolle mit Kimchi.

過去は過ぎ去らない

2. Nicht vergangen

Die unsichtbare Mauer

Bis zu meinem neunzehnten Lebensjahr kannte ich keine Mauern. Kaum hatten die Semesterferien begonnen, schon war ich mit der ersten Mauer konfrontiert, und zwar mitten in der Stadt, in der ich geboren und aufgewachsen war.

Es gibt in jeder Hauptstadt Enklaven, die von einer Mauer umgeben sind. Eine Strafvollzugsanstalt zum Beispiel oder eine Botschaft. Normalerweise macht man sich keine Gedanken darüber, was sich hinter einer Mauer abspielt, und geht einfach vorbei, als würde sie nicht existieren. Eine Mauer ist nicht nur eine Trennwand, sondern auch ein Deckmantel.

Auf einer Weltkarte ist eine Ländergrenze nichts weiter als eine zittrige Linie, die ein buntes Tortenstück des Territoriums von einem anderen trennt. Diese Linie kann sich aber unter Umständen in eine Todeslinie verwandeln. Keinem Wahrsager, der die Lebenslinie auf einer Handfläche deuten kann, gelingt es, aus einer Grenzlinie das Schicksal eines Reisenden herauszulesen.

Ich umkreiste das Grundstück der Botschaft und fand endlich den Haupteingang. Neben einer Gitterdrehtür stand eine Kabine, in der gut eine Simultandolmetscherin hätte sitzen können. Stattdessen stand dort ein uniformierter Mann und beobachtete mich mit angespannten Wangenmuskeln. Die Sonne schien ermutigend herab auf mich und auf eine gestreifte Katze, die gerade vor meinen Augen umherspazierte. Im Unterschied zu ihr musste ich das Grundstück der Botschaft betreten. Der Wächter des diplomatischen Schlosses fragte mich streng und abschätzig, was ich dort zu suchen hätte. Wer ein Visum beantragt, dem wird großes kriminelles Potenzial zugeschrieben.

In Yokohama bestieg ich ein Passagierschiff, und schon befand ich mich auf einer breiten Ländergrenze, die aus Wasser bestand. Der Pazifik wäre, wenn er senkrecht stehen würde, eine unglaublich hohe, blaue Mauer. Die Wellen des Ozeans nahmen das Schiff mit einer horizontalen Freundlichkeit auf, aber einige Stunden später kam ein heftiger Sturm.

Was hinter der Grenze auf mich wartete, war die dunkle Mündung eines Maschinengewehrs. Bei einer Passkontrolle könnte jeder Mensch erschossen werden. Was nützt mir ein gültiges Visum, wenn ich plötzlich von einem Fuchsgott besessen wäre und

wie eine Irre losrennen würde? Ich könnte die Anweisung der Grenzpolizei nicht verstehen und liefe
einfach weiter. Die Bewaffneten würden dann auf
mich schießen.

Was passierte, wenn ich mit einer Autorin verwech-
selt würde, die die Politik eines Mauerstaates in
Strophenform kritisiert hat?

Damals wollte ich hinter der Mauer studieren. Meine Liebe zur slawischen Literatur war nicht der einzige Grund dafür. Wenn es eine sinnvolle Ausbildung
für Autoren geben sollte, dann müsste die „Mauer-
wissenschaft" ihr Pflichtfach sein. Wie schreibt man
kodierte Lyrik, die durch ein dichtes Netz der Zen-
sur kommt? Wie verhält man sich, wenn man eines
Tages von einem persönlichen Anruf Stalins überrascht wird? Er sagte, er bewundere deine Literatur
und möchte gern, dass du seine Biografie schreibst.
Welche Adjektive müsstest du vermeiden, falls du
dich traust, sein Angebot abzulehnen?

Wer heute in einer beständigen Demokratie zu leben glaubt, kann nicht davon ausgehen, dass es
ewig so bleibt. Redefreiheit ist ein Räderfahrzeug
mit einem Rückwärtsgang. Eine Diktatur ist leichter
zu erkennen, wenn sie hinter einer Mauer entsteht.

Auf der sowjetischen Hafenanlage stürzten sich
zehn blonde Kinder auf mich. Sie wollten Kaugum-
mis von mir haben. Ich hatte aber keine dabei.
Dann erschien ein junger Erwachsener und fragte
mich, ob ich meine Jeans gegen seinen Pelzmantel

tauschen würde. Ich wollte nicht mit nackten Beinen durch Sibirien fahren.

Ich stand auf dem Bahnsteig und sah einen schönen, dunkelgrünen Zug kommen, in dem Anna Karenina hätte sitzen können. Dann begann eine lange Bahnfahrt, bei der ich bald vergaß, die Tage zu zählen. Jede Sekunde, die verging, wurde durch eine weiße Birke in der goldenen Landschaft markiert. Fünftausend Kilometer fuhr ich durch Sibirien, ohne eine einzige Mauer gesehen zu haben. Der Ural, der Asien von Europa geografisch trennt, war keine Mauer, sondern eine Erhebung. Er schaukelte den Zug wie ein neugeborenes Kind in seiner Wiege, ohne eine Kontrolle durchzuführen.

Nach etwa zehn Tagen kam erst wieder eine Grenze mit bewaffneten Männern. Ich hatte gedacht, dass es innerhalb des Ostblocks keine dramatische Grenze geben könne. Offensichtlich hatte ich mich getäuscht. Ich hörte die Grenze, es war ein schweres Hämmern in der Nacht. Die Achsen des Zuges mussten gewechselt werden. Hinter der Grenze änderte sich die Spurweite der Eisenbahnschienen, damit im Bewusstsein der Menschen keine selbstverständliche Durchlässigkeit entstand.

In Warschau, bevor ich den Zug nach Ost-Berlin nahm, studierte ich noch einmal sorgfältig die Liste, die mir zusammen mit dem Visum in die Hand gedrückt worden war. Dort waren die Gegenstände aufgelistet, die man nicht einführen durfte. Unter anderem stand „pornografische Fotografien" und

„militärisches Spielzeug" darin. Ich hatte Angst, denn ich könnte unwissend ein verbotenes Objekt besitzen. Was ist pornografisch? Wo ich aufgewachsen bin, galt in den siebziger Jahren eine einfache Regel, die jeder Zollbeamte verstehen konnte: die Schamhaare dürfen nicht zu sehen sein. Ich wusste noch nichts über die Aktivitäten der Nudisten in sozialistischen Ländern. Was ist ein militärisches Spielzeug? Mein Obstmesser hatte die Form eines Samuraischwertes. Meine Haare, die damals – inspiriert von einer britischen Rockband – wie ein Champignon geschnitten waren, könnten als kritische Anspielung auf den Atompilz interpretiert werden.

Im Abteil des Zuges saßen mir gegenüber zwei DDR-Bürgerinnen, mit denen ich ins Gespräch kam. Sie waren Mitte fünfzig, neugierig und warmherzig. Eine von ihnen fragte mich, ob es stimme, dass es keine Betten in Japan gäbe und die Menschen auf dem Fußboden schlafen müssten. Ich nickte und murmelte schüchtern das Wort „Futon". Daraufhin holten sie einen riesigen Kuchen aus ihrer Reisetasche und schenkten ihn mir für unterwegs. Sie haben mir nicht ein oder zwei Stück davon abgeschnitten, sondern der ganze Kuchen landete auf meinem Schoß. Und das nur, weil ich zu Hause kein Bett hatte.

Ich sah mir einen Palast an, in dem zahlreiche ägyptische, etruskische, altgriechische und römische

Lebewesen zu Hause waren. Ich habe eine große, menschenleere Buchhandlung gesehen, in der alle Bücher einen roten Rücken hatten und erdig rochen. Die Mauer habe ich nicht gesehen. Dort, wo sie stehen sollte, sah ich wieder uniformierte Männer mit Maschinengewehren. Es gibt eine Leerstelle in meinem Gedächtniskino. In der nächsten Szene befand ich mich schon hinter der Mauer, in einer Stadt, in der selbst ein Mülleimer glänzte und im Abwasserkanal der Champagner schäumte. Der Kurfürstendamm, den ich heute eher wegen seines nostalgischen, zurückhaltenden – um nicht zu sagen schäbigen – Grautons als charmant empfinde, war damals das wichtigste Schaufenster hinter der Mauer, das den materiellen Reichtum des Westens eindrucksvoll präsentieren sollte.

Ich sah die Mauer nicht, spürte aber ihren Druck, der mir den Atem beschwerte. Es war nichts weiter als ein Wissen, dass ich mich gerade in der Nähe einer tödlichen Mauer befand. Es war mitten im August, aber die Außenluft fühlte sich kalt an wie ein Adjektiv, das den stillen Krieg charakterisierte. Ich hätte lieber die Mauer als Materie gesehen, die ich später mit einem Hammer hätte abklopfen und in eine kleine Plastiktüte einpacken könnte. Aber die Mauer ist mir unantastbar und unfassbar geblieben. Als sie fiel, war sie bloß ein Bild im Fernseher. Ich fuhr hin und hatte keine andere Wahl, als eine der internationalen Mauertouristinnen zu sein. Man sprach mich plötzlich auf Englisch an, was mich stutzig machte. Später verwandelte sich die Mauer in eine nette Mosaikschlange, und manchmal, wenn ich aus Versehen auf sie trete, höre ich sie schreien. Die Mauer in meinem Gedächtnis besteht weiter aus den bewaffneten Männern, die bereit waren, nach einer Anweisung auf Menschen zu schießen.

Auf unserem wasserblauen Planeten werden immer wieder neue Mauern gebaut. Wo eine Mauer steht, ist das Leben auf beiden Seiten bedroht. Wo keine Mauer mehr steht, müssen wir gegen die eigene Wahnvorstellung kämpfen, dass die anderen, die keinen Kaugummi besitzen, rüberkommen könnten, um uns diese Luxusware wegzunehmen.

Wort, Wolf und Brüder Grimm

Von Jacob wusste ich, dass die Sprache ein Pferd war und seine Reiterin die Poesie. Ich hörte aus seinem Mund das Verb „zügeln", und schon sah ich Zügel und ein Ross vor mir. Auf dem Reitsattel saß weder ein Retter noch ein Ritter, sondern eine Frau. Kein Wunder, denn das Genus der Poesie ist feminin.

Jacob sagte, die Poesie zügelt die Kraft der Sprache. Ich wurde stutzig, ich dachte, die Poesie würde eher die Kraft der Sprache freisetzen. Das Wort „frei" war ein Kohlweißling, flatterte um meinen Gehirnbehälter. Meine Hand griff nach ihm – vergeblich.

Jacob galt als großer Sammler seiner Zeit, er benutzte jedoch kein Insektennetz, um die Wörter zu fangen. Offensichtlich waren die Wörter für ihn kein Schmetterling. Er buddelte sich in die Erde, wo die sieben Zwerge eifrig nach Gold und Erz suchten. Das Erz war der Anfang der Erz-ählung. Er trieb seinen Minengang vor, seine Neugierde richtete sich nach unten. Eine Unter-suchung. Er musste alles, was ihm ins Auge fiel, gründlich untersuchen, es lag an der unüberwindlichen Neigung seiner Natur, sagte er. Ich wusste nicht, dass auch ein Sprachforscher das Wort „Natur" häufig benutzt.

Auf einem öffentlichen Empfang, auf dem ich niemanden kenne, unterhalte ich mich am liebsten mit Linguisten. Neulich lernte ich einen aalglatten, blassbleichen Linguisten kennen. Mit einem Glas Rotwein in der Hand hielt er mir ein Häppchen Vortrag: Zeitgenössische Gedichte seien für ihn als Untersuchungsobjekt untauglich, denn die poetische Sprache sei eine elitäre, narzisstisch entstellte, unkommunikative Sprache. Er möchte die Sprache derjenigen untersuchen, die sich nie über die Sprache Gedanken machen. Am liebsten möchte er ein Zoologe sein, denn ein Tier würde nicht an der eigenen Sprache herumbasteln. „Da bin ich aber nicht so sicher", erwiderte ich. „Der Fuchs, der Wolf und der Bär: Alle drei sagten zum Jäger: Lieber Jäger, lass mich leben, ich will dir auch zwei Junge geben!" Auch die Tiere sprechen in Reimen.
Jacob hatte nie vor, den Reim aus der Sprachforschung auszuschließen. Im Gegenteil. In Reim und Metrum blieben die Gefüge und Bestandteile einer Sprache länger erhalten als in einem wässerigen Redefluss. Was ein Wort in einem Gedicht festhielt, war keine Definition, sondern eine Vibration.

In einem Märchen haben die einzelnen Wörter keine so lange Lebenserwartung wie in einem Wörterbuch. Jeder traut sich, ein Märchen mit eigenen Worten neu zu erzählen, als hätte man Stoffe zum Recycling in die Hand bekommen. Ein Märchen bleibt weiter im Kreis des Recyclings, selbst wenn es schon einmal als Werk eines Autors gedruckt wurde. Nicht nur Jacob, sondern auch Wilhelm wollte zuerst den Rohstoff finden, zum Beispiel den unberührten Naturzustand des Aschenputtels. Aber der Märchenstoff war bereits wie Asche im Wind bis nach China verteilt. Die einzige Reliquie, die man noch in Hessen finden konnte, war das Wort „putteln". Man könnte höchstens aus einem existierenden Produkt etwas, was Vorgänger hinzugefügt haben könnten, entfernen, um es einen Schritt dem Ursprung anzunähern. Ein weiterer Schritt wäre, die Merkmale hinzuzufügen, die der eigenen Vorstellung des Ursprungs entsprechen.

Jacobs Partner Wilhelm konnte manchmal so schreiben, als würde der Volksmund sprechen. Jedoch bekam er manche Stoffe von gutsituierten Frauen, die in der Buchkultur aufgewachsen waren. Er gab einer dieser Frauen seinen Ring. Es gab einige Gründe, warum er mich an Bertolt Brecht erinnerte.

Die Märchen haben die Stimme dieser Frauen als Medium gewählt, um Wilhelms Feder zu erreichen. Für ihn war diese Stimme ein Zaubertrunk. Die Buchstaben, an denen sein älterer Partner sich weiter festklammerte, waren nur noch lästige Beinschellen für Wilhelm. Hätte er die Texte von Charles Perrault schriftlich kennengelernt, hätte er nie den eigenen Märchenton im Deutschen gefunden, mit dem er so seltsam anteillos von Familiengewalt erzählen konnte, wie es nur für eine der abgespalteten Persönlichkeiten von einem Gewaltopfer möglich wäre. Auch die Mythen und die Sagen berichteten vom Blutdurst, aber sie blieben in einem unerreichbaren Zeitraum, während Wilhelms Märchen mitten in der Stube auf dem Schoß der Mutter Platz nahmen.

Nicht selten liest man heute in der Zeitung von Eltern, die ihre Kinder verlassen, quälen, vergewaltigen oder sogar töten. Der einzige Unterschied zum Märchen besteht darin, dass es sich meistens nicht um Stiefeltern, sondern um leibliche Eltern handelt. Hingegen liest man nie in der Presse über einen Jungen, der seinen Vater tötet, um mit der Mutter zu schlafen.

Ich war dabei, als die Stiefmutter des Schneewittchens vor Gericht aussagen musste. „An dem Tag hat es geschneit, und die Haut des Opfers war weiß wie Schnee. Deshalb heißt sie ja auch Schneewittchen!" Als sie fortfahren wollte, unterbrach sie der verärgerte Richter: „Erzählen Sie uns bitte kein Märchen!" Was hat den Richter gestört? Die Angeklagte hat die Hautfarbe des Opfers und seinen Namen mit dem Schneewetter in Verbindung gebracht: typisch Gehirn. Es muss ständig mit den Wörtern arbeiten.

Die Stiefmutter gab zu, dass sie die „Lunge" und die „Leber" des Opfers gegessen habe. Der Richter wurde wegen der Alliteration skeptisch und sagte: „Sie haben vielleicht auch das Herz des Opfers gegessen, aber weil das Wort Herz nicht mit dem Buchstaben L beginnt, haben Sie es ausgelassen!" Der Richter wusste die Alliteration nicht zu schätzen. So wie viele alte Methoden aus der Dichtkunst könnte die Alliteration der Stiefmutter geholfen haben, entgegen ihrem eigenen Interesse die grausamen Details nicht zu vergessen und auch davon zu erzählen, ohne in Ohnmacht zu fallen. Das Märchen ist eine Kunstform, es verheimlicht nicht, dass es bewusst geformt ist. Kann man dem Märchen deshalb vorwerfen, dass es die Wahrheit verfälscht oder verschweigt?

Jacob ließ seinen jüngeren Partner mit Feen allein. Ihm war eine Arschhure lieber. Die feine Gesellschaft war davon entsetzt, weil Jacob eine Arschhure genauso respektvoll behandelte wie einen Adligen. Jacob sagte, das Wörterbuch sei nicht da, um Wörter zu verschweigen. Er fügte sogar hinzu, es gebe Wörter, die sich im Volksmund besonders sinnreich und poetisch entfaltet haben, obwohl sie in der feinen Gesellschaft verpönt gewesen seien. „Arsch" sei ein gutes Beispiel dafür. Alle Wörter, die einen Arsch am Kopf hatten, standen weit vorne im Wörterbuch. Nachdem ich eine Arschkappe kennengelernt hatte, dachte ich, auch der Arschkitzel sei sicher ein

Schimpfwort. Das Wort bedeutete aber die Frucht des Hagedorns, wurde eventuell aus dem Französischen übersetzt, obwohl es ein anderes Wort schon in der deutschen Volkssprache gab. Gut zu wissen, dass die besonders deutsch duftenden Früchte durch die Übersetzung aus dem Französischen entstanden sein können. Jacob mochte die Salonaffen nicht, die sich mit Fremdwörtern schmückten, als würden sie einer höheren Klasse angehören. Nicht nur das. Die mächtige französische Kultur, die Jacob verehrte, könnte die Entwicklung der eigenen hemmen. Westafrikaner würden Jacobs Angst besser verstehen als heutige EU-Bürger. Jacob hatte im Traum einen gestiefelten Kater gesehen. Dieser hatte einen Napoleonhut auf dem Kopf, saß auf einem Araberhengst und zeigte in die offene Landschaft, die er e(u)ro-bern wollte.

Unter dem Buchstaben E stand das Wort „europamüde", aber Jacob war noch nicht müde. Ein deutscher Apfel hing mit vielen anderen Äpfeln zusammen an einem Baum. In Wirklichkeit existierte dieser Baum nicht, sondern die Leerstelle, die durch die Choreografie der Äpfel entstand, nahm die Form eines astreichen Baumes an.

Jacobs Wörterbuch trug so viele Früchte: ein Apfel auf Mittelhochdeutsch, ein anderer auf Friesisch oder Niederländisch; ein englischer Apfel hing noch bescheiden unter den anderen Äpfeln; einer leuchtete auf Schwedisch, ein anderer auf Dänisch, noch nicht verfault ist der gotische, klein aber schmackhaft sind der litauische und der lettische; der polnische, der böhmische und der serbische hingen noch friedlich neben dem russischen. So viele Äpfel kann Adam nicht allein aufgegessen haben. Jacobs Wörterbuch wird nie europamüde. Egal wie aufwendig es war, schuf er für die Vielfalt den größtmöglichen Raum, und das ohne die Unterstützung der Europa-Gelder.

Ferngläser zählen heutzutage nicht mehr zum wichtigen Werkzeug der Linguisten. Jacob hatte sie immer dabei wie ein Jäger. Er studierte die Jägersprache, liebte ihre Frische, während er nicht viel von der Fischersprache hielt. Die Stummheit des Fisches sei ansteckend, daher seien die Fischer meistens schweigsam, sagte Jacob. Ich mochte seinen Humor. Ich weiß nicht, ob ein Wolf viel mehr redet als ein Fisch, aber der Wolf aktivierte das Sprachzentrum des Jägers, und somit bereicherte er die deutsche Sprache. Der Wolf hatte Angst, nicht vor dem Tod der Grimms in den Wald des Wörterbuches aufgenommen zu werden. Wer mit einem Namen, der mit W begann, geboren wurde, hatte Pech. Aber seine großen Sorgen waren umsonst. Der Wald lebte weiter, er war nicht mehr abhängig von seinen ersten Förstern. Der Wolf „trabet, reist und wirft das thier, friszt den raub, ranzet oder rollet, hat einen bau oder ein lager, der wolf heult, hotzt gen und von holz, wird geludert, angeäszt, ihm mit dem leithund vorgesucht, abbrochen, einkreist, fürgriffen, verbrochen, bestetet, aufgesucht, gehetzt, gefangen, erbissen, erwirgt, sein haut abgestraift, hat gebisz und klauen, läger, fahrt, gefehrt, brunft, (man) treibt, verknüpft sich mit dem wolf". Mein Herz schlug schneller, als hätte ich einen wirklichen Wolf vor mir gesehen. Ich meine nicht den bösen Märchenwolf, sondern ein Bündel Bewegungen. Die deutsch sprechenden Zungen hatten ihn verehrt, bis die Kirche sagte, der Wolf sei ein falscher Prophet.

Für Jacob war jedes kleine Wort wichtig, er verlor aber nie die großen Landschaften aus den Augen. Anstatt sich aus der Kühltruhe der Fachwörter zu bedienen, nahm er die Wörter aus Naturland-schaften.
An einem Hang entdeckte er ältere Mundarten kleben. Ja, das war seine Formulierung, und ich sah tatsächlich rote Lippen des Volkes wie buntes Moos eine Stelle der Felswand bedecken. Die Volksmundart: was für ein seltsames Wort! Jacob blickte immer weiter in die Ferne und rief euphorisch: „Die Dichter wussten das! Von Tirol bis Hessen, am Rhein und an der Donau gab es schon im zwölften, dreizehnten Jahrhundert eine gemeinsame Sprache, die der Poesie zur Verfügung stand."
Die Landschaft wartete darauf, immer wieder erneut gestaltet zu werden. Ohne die Poesie hätte sie ihre Dichte verloren und sich schon längst im Nebel aufgelöst.

Mir fiel es noch nie leicht, das Wort „Apfel" auszusprechen, besonders der Doppelkonsonant „pf" kostete mich viel Kraft und Aufmerksamkeit. Warum heißt es nicht einfach Apel? Seit unzähligen Generationen hielten die deutsch sprechenden Lippen immer wieder die anstrengende Pf-Spannung. Die höhere Kunst besteht darin, diese Spannung innerhalb von Millisekunden aufzubauen und sofort wieder halb loszulassen. Man muss eine kleine Explosion zulassen, ohne die Kontrolle über sie zu verlieren. Wer braucht aber solche Kunstfertigkeit außer jemandem, der Trompete spielen will?

Jacob sagte, die Lautverschiebung habe eine tiefere, innere Befriedigung gebracht. Dann war sie eine sinnliche Angelegenheit, sagte ich. Nein, erwiderte er, es ging um eine nationale Angelegenheit. Vor Schreck ließ ich meinen Apfel aus der Hand fallen und somit auch den Doppelkonsonanten „pf". Aus dem zerplatzten Fruchtfleisch wuchs eine neue Pflanze wie ein Pfahl hoch. Die sprießende Kraft des Frühlings steckte im „pf" der Pf-lanzen. Die deutsche Sprache war voller Pfifferlinge.

Jacob saß auf einem Pf-erd, das nicht mehr zu zügeln war. Stürzt es in den Abgrund des Nationalstolzes? Über der saftig grünen Landschaft sah ich den Himmel, der gerade seine Abendhaube angezogen hatte. Wo war die Hochsprache zu Hause? In einer Höhe, jedoch nicht im Himmel. „Gott" stand fünf Buchstaben hinter „Bibelübersetzung", und am Anfang war der Buchstabe A.

Ein Loch in Berlin

Die Sparlampe der Berliner Sonne hatte noch nicht eine heitere Helligkeit erreicht, war aber schon dabei, sich auszuschalten. Ich hatte gerade das Visum für Belarus, Weißrussland, abgeholt und wollte noch einen Kaffee trinken, bevor ich nach Hause ging.

„Weiß" in „Weißrussland" hat nichts mit der weißen Rasse zu tun, auch nicht mit dem Wort „weiß" in „ich weiß", denn ich wusste nicht genau, wie nah die weißrussische Grenze liegt. Als ich an einer roten Ampel stehenblieb, glaubte ich, Schritte der Passanten in Minsk gehört zu haben. Dort wechselte die Ampel von Rot auf Grün früher als hier, und eine Menschenwelle bewegte sich langsam in Richtung Berlin. Würden die Passanten uns erreichen oder blieben sie vor der Oder stehen? Diese Oder kennt kein Entweder. Sie waren fest entschlossen, die unnatürliche Grenze zu überschreiten.

Der Gleichschritt aus dem Osten löste sich in Motorgeräusch auf, das die Stadt flach bedeckte, wurde einmal unhörbar und kehrte zurück als ein leises Summen winziger Flügel. Ein Mikrohelikopter kreiste um meinen Schädel. Ich schüttelte den Kopf, versuchte, sie abzuwimmeln, aber die unsichtbare Mücke war hartnäckig. Als ich in eine Eisenbahnunterführung hineinging, verließ die Mücke mich endlich und landete auf der Oberfläche der Eisenkonstruktion, die die Brücke von unten stützte. Die Mücke stach ihren Strohhalm genussvoll in die eiserne Haut und sog Blut aus der ausgetrockneten Zeit, in der die harten Materien Berlins Menschenblut getrunken hatten. Die Knochen aus Eisen, die Haut aus Ziegelsteinen. Der Regen hat es in den letzten Jahrzehnten nicht geschafft, die Stadt reinzuwaschen.

Über dem Horizont wurde ein dunkelweißer oder besser: hellschwarzer Wolkenvorhang zugezogen, vom Osten nach Westen. Die ersten Regentropfen tippten auf meine Handgelenke. Es wird wahrscheinlich nichts aus dem geplanten Gartenfest heute Abend. Wir müssen in unserem Keller feiern, genau wie letztes Jahr. Ich erinnerte mich, wie wir auf der schmalen Holzbank eng nebeneinandersaßen und die eigene Körperwärme nicht mehr von der der anderen unterscheiden konnten. Prost auf die Kellerfreundschaft, sagte mein Moskauer Kollege, hob seinen Plastikbecher und schnappte Luft wie ein Goldfisch, als gäbe es nicht genug Sauerstoff für alle. Meine Armbanduhr ging seit gestern Abend zwei Stunden vor. Ich habe gehört, dass Soldaten schon einen Abend vor einem Angriff ihre Uhr auf die Zeit des Zielortes stellen. Meine Uhr stellte sich auf die Zeit der Gäste, die noch nicht eingeflogen waren.

Die Gäste bringen die Tagesordnung durcheinander, essen den Kühlschrank leer, machen Geschirr schmutzig und verwirren meine Katzen mit fremdem Gelächter, aber ohne Gäste würde mich auf Dauer der eigene Saft vergiften.

Am Horizont wuchsen vier Feuersäulen. War das ein Waffenexperiment, über das ich nicht informiert war, oder bloß eine Reflexion der Scheinwerfer auf meinen Kontaktlinsen? Mich ärgert das Wort „Phantom", jedes Mal, wenn es mir einfällt.

Vor zwei Wochen rief mich ein Maler an. Es war kurz vor Mitternacht. Durch gemeinsame Freundinnen und ein gemeinsames Projekt fühlten wir uns vertraut, als wären wir schon lange befreundet gewesen, aber in Wirklichkeit hatten wir bis dahin nie über persönliche Themen gesprochen. Er sagte mir am Telefon, er habe unerträgliche Schmerzen in der Wirbelsäule, und zwar genau an der Stelle, die am Ende des Krieges noch ein Schuss getroffen hatte. Ich hörte zum ersten Mal den neunzigjährigen Mann von Schmerzen sprechen, der sonst ausschließlich über Lithografie, Ethnografie oder Kalligrafie redete. Die metallene Kugel sei schon damals herausoperiert worden, und er habe seitdem keine Beschwerden gehabt, bis vor einigen Stunden. „Oder vielleicht habe ich doch noch ein Loch im Körper?", fragte er und lachte. „Ich schreibe gerade zum

Thema Loch einen Essay", sagte ich, „das Loch als Theater. Man entdeckt ein Loch im Pullover, schon hat man ein kleines Gucklochtheater am Leib!" Der Maler lachte und sagte halb abwesend, dass er wieder mit mir zusammen arbeiten möchte. Als ich den Hörer auflegte, fiel mir das Wort „Phantomschmerz" ein. Was wäre aber, wenn die Schmerzlosigkeit ein Phantom ist? Drei Tage später erfuhr ich, dass der Maler tot sei. Ich war zu feige, um nachzufragen, wann genau er gestorben war.

Es roch nach Urin und Nikotin. Wenn ich meine Schnürsenkel nicht neu hätte binden müssen, wäre ich keine Sekunde länger in der finsteren Unterführung stehen geblieben. Die feuchte Kälte legte mir sofort eine Schimmelfolie auf die Schultern. Drei magere Männer standen an die Wand angelehnt. Einer sagte, lieber Heroin als ein heroischer Tod als Soldat. Der zweite Mann hob das Gesicht, das durch Einsamkeit entstellt war, und sagte: „Ich wollte die Verantwortung übernehmen für die Stadt, die nicht meine war. Ich wollte sie retten, egal ob durch Heroin oder Heroismus!" Der dritte Mann sagte: „Ich habe Berlin gerettet, aber Berlin verachtet mich", und gab der Wand mit seinem rechten Fuß einen Stoß. Die Wand war weich wie ein Stück Weißkäse. Der Stoß hinterließ ein Loch, das wie ein großes Schlüsselloch aussah. Die drei Männer holten Zigaretten aus ihren Hosentaschen, aber nicht gleichzeitig, sondern nacheinander, als wollten sie unabhängig voneinander die Zeit totschlagen. Die Spitzen aller Zigaretten erglühten jedoch gleichzeitig, und es wurde plötzlich still in der ganzen Stadt. In dem Augenblick dachte ich, das ist alles bloß inszeniert. Der Regisseur hieß Schukow. Vor der Stille musste ein Getöse der Granaten zu hören gewesen sein, ich habe die Szene verpasst, konnte die Zeit im Ohr nicht zurückdrehen. War diese Totenstille eine Antwort auf den ersten Angriff? Warum antwortet Berlin nicht? Hallo, Berlin, deine Faust ist krank, sie schlägt dich selbst, bis du ausblutest. Ich muss dir deine beiden Arme amputieren, damit du dich nicht restlos zerstörst.

Über dem Kopf wurde die Notbremse gezogen, Eisenzähne knirschten, ein schweres Geräusch folgte, als wäre ein Güterzug gewaltsam angehalten worden. Die drei Männer schmissen ihre Zigarettenkippen in eine Pfütze und rannten aus der Unterführung, ich hinterher. Sie kletterten mit Händen und Füßen den steilen Hang hoch, der zu den Eisenbahnschienen führte. Ich folgte ihnen, griff ein nasses Bündel Unkraut wie eine Bergsteigerin ihr Seil, rutschte bei jedem Schritt zurück, schaffte es aber nach einer Weile doch, oben anzukommen, wo eine schwarze Lokomotive meine Sicht behinderte. Das Metall hält länger, wenn es „ruß-beschmutzt" ist, flüsterte mir eine Stimme mit russischem Akzent zu. Der Güterzug war endlos lang, die Tür eines Waggons stand offen. Ich stieg ein und sah darin keinen Sitz, sondern viele Truhen. Ich klappte den Deckel der Truhe, die mir zunächst lag, hoch und fand darin einen Mann in moosgrünem Soldatenmantel mit rotem Kragen. Er öffnete die Augen, seine Wimpern waren länger und dichter gewachsen als die von Marilyn Monroe. Er beugte seine Ellbogen und drückte gegen den Boden der Truhe, um den Oberkörper zu erheben. Dann zog er seine Knie zur Brust, wackelte mit den Stiefeln, daraufhin fielen getrocknete Erdklümpchen brockenweise auf den Boden. Mit einem unbewegten Wachsfigurengesicht stand er auf. Dabei öffnete sich sein Mantel, der nicht zugeknöpft war, wie ein Vorhang, und eine behaarte Nacktheit zeigte sich in der Aprilluft. Als er im Februar den Mantel angezogen hatte, wollte Stalin ihn noch nicht gehen lassen. Jetzt stand er da mit seinem offenen Mantel, ich sah seine üppigen Brüste, die der „Mutter Heimat". Zwischen den behaarten, muskulösen Oberschenkeln hing ein Granatapfel, halb geschält. Ich schüttelte meinen Kopf. Kein Soldat, sondern ein bärtiger Gemüsehändler stand vor mir. Hier eine Brigade der Birnen, dort eine Truppe der Tomaten. Er schnitt mit seinem scharfen Messer ins Fruchtfleisch, roter Saft spritzte aus seinem Granatapfel, und er lachte stolz. Sein Lachen war mir unheimlich, ich verabschiedete mich von ihm mit schlechtem Gewissen. Nach einigen Schritten bemerkte ich einen roten Fleck auf meiner weißen Jacke. Es war ein gewöhnlicher Tag in Berlin.

Halbwertzeit

Die folgende Situation wird uns helfen, den Begriff der Zeit im Hinblick auf die heutige Situation auf unserer Erde neu zu definieren.

Eine Apothekerin fragt ihren ehemaligen Kunden: „Wie geht es Ihnen jetzt? Besser?" Die Frage kommt ihr selber seltsam vor. Wie kann es einem Menschen gehen, und warum spricht sie überhaupt von „gehen"? Geht das Gefühl mit seinen zwei Beinen irgendwohin oder läuft das Herz wie ein Motor oder ist es ein Mensch, der mit einem Herzen geht? Während der Mensch geht, vergeht die Zeit. Das kleine Wort „jetzt" verspricht kein unabhängiges Gebiet, das von vorher und nachher unangreifbar bleibt. Seit dem großen Unfall ist man automatisch verpflichtet, „jetzt" mit „damals" zu vergleichen. Das Wort „Unfall" ist genau wie viele andere ähnliche Wörter unzureichend, um das Geschehen zu bezeichnen, das die „Laufart" der Lebenszeit verändert hat.

„Ja, ja, es geht mir schon besser": Das ist eine Antwort, die epidemisch verbreitet ist. Sie hat keinen Inhalt. Es würde zu lange dauern, wenn man das Vakuum der letzten Jahre mit bunten Erlebnissen füllen würde. Jeder hat seitdem so viel erlebt, dass die Summe der gesamten Erlebnisse gar nicht in einen begrenzten Zeitraum hineinpassen würde. Der Mund hat unendlich viel Zeit, er erzählt und erzählt, denn die Zeit wird durch das Erzählen erzeugt, aber es gibt keine Zeit für die Ohren. Die Ohren müssen arbeiten, während die Zeit voll mit Mündern ist.

Man nennt jenes Ereignis nicht mehr mit einem Namen, auch nicht mit einem Substantiv. Es ist schon längst die Aufgabe der Adverbien, die Zeitordnung herzustellen.

Früher stellte die Apothekerin jedem Stammkunden diese harmlose Frage anstelle einer Begrüßung: „Wie geht es Ihnen?" Jetzt gibt es kaum Gelegenheit, ehemalige Kunden zu treffen, weil die Apothekerin, nachdem sie ihren Laden von heute auf morgen verlassen musste, jetzt in einer Kleinstadt wohnt, die zwanzig Kilometer entfernt ist. Sie plant, eine neue Apotheke zu eröffnen, und verbringt den Tag meist damit, den neuen Standort zu finden.

Jede Bushaltestelle könnte der Ort des Wiedersehens sein, aber die Buslinie, die für die Evakuierten eingeführt wurde, hat bis jetzt nicht viele Mitfahrer gefunden, da die Provinzbewohner immer noch nicht ihre Autos aus dem Kopf jagen können. Im Schlaf fahren sie mit ihrem Auto weiter, auch wenn sie bemerken, dass sie nicht auf einer Straße, sondern am Meeresboden unterwegs sind.

Der Ozean hat damals auch den roten Wagen der Apothekerin mitgenommen. Sie hat ihn vergessen, stellte sich schnell auf die Bus-Kultur um. An einer Bushaltestelle ist nur eine einzige Uhrzeit wichtig: die nächste Abfahrtzeit. Bei einer Verspätung gehen die Zeiten auseinander. Zwischen der vorgesehenen Abfahrtzeit und dem Zeitpunkt, an dem das Warten durch die Ankunft des Busses rücksichtslos unterbrochen wird, treffen sich unerwartet zwei Menschen.

Seit dem großen Unfall des Atomkraftwerkes ist die Zeit nicht bei jedem in der gleichen Geschwindigkeit vergangen. Man trifft sich zwar, befindet sich aber nicht unbedingt im selben Zeitraum, weil jeder in seiner eigenen Zeit unterwegs ist.

Der Mann steht mit krummem Rücken da, seine Hände bilden unfreiwillig Fäuste. Ein Mensch hat nicht immer ein Gefühl, aber eine Körperhaltung hat er immer. Sein nach hinten versetzter Kopf braucht etwas Zeit, bis er die richtige Stellung findet, um der Apothekerin in die Augen zu blicken. Der ehemalige Kunde braucht weitere Zeit, um die Apothekerin, bei der er immer Medikamente gegen seine Gefühllosigkeit geholt hat, wiederzuerkennen. Er braucht insgesamt viel mehr Zeit, als die Apothekerin erwartet. Endlich kommen die Worte aus seinem Mund, dabei überspringt er aber jede Begrüßung und fragt unvermittelt, wo die nächste

Möglichkeit sei, Schlaftabletten zu bekommen. Die Gefragte ist irritiert, zugegeben: gekränkt. Das Gefühl der Apothekerin, des fünfundvierzigjährigen Mädchens, pustet die stechenden Sekunden zu einem Ballon auf. Sie holt schnell ihr Notizbuch aus der Handtasche und schreibt für den schlaflosen Mann die Telefonnummer des medizinischen Notdienstes auf. Sie reißt die beschriebene Seite so heftig heraus, dass sie fast dem Mann eine Ohrfeige gegeben hätte.

Die beiden Evakuierten stehen nebeneinander ohne Worte. Neue Staubwolken in der Ferne kündigen immer wieder ein Fahrzeug an, aber das ist nicht der Bus, er kommt nicht. Man soll nicht zu intensiv in die Leere starren, sonst fängt man an, die radioaktive Strahlung zu sehen, obwohl sie nicht zu sehen ist. Der Apothekerin fällt nicht ein, wie sie die Zeit überbrücken könnte. Die Zeit ist nicht mehr etwas, was sich totschlagen lässt, sie ist immer da mit ihrem breiten Körper, aber was soll man mit ihr tun?

Am Gesprächsstoff mangelt es nicht, aber man soll nicht leichtsinnig über etwas klagen wie früher, auch nicht zu positiv über den Zeitraum, den die Politiker gern als Zukunft bezeichnen, sprechen. Das könnte die meisten Betroffenen verletzen. Die Apothekerin fängt vorsichtig an: „Wissen Sie, ich habe mir vorgenommen, irgendwo hier in der Nähe eine neue Apotheke zu eröffnen, und dafür einen groben Zeitplan gemacht. Ich kann nicht sagen, dass ich gut in der Zeit bin. Mir war bewusst, dass man nie so schnell vorankommt, wie man möchte." Der Mann bricht in Lachen aus, die Apothekerin erschrickt.

„Wie lange hat es bei Ihnen gedauert, bis sich die Trauer halbiert hat?", fragt der Mann. Die Apothekerin erinnert sich an einen Zeitungsartikel über neue Experimente mit den Katastrophenopfern. Psychologen haben festgestellt, dass das Gefühl der Trauer nicht gleichmäßig abnehme. Sinnvoll sei, die Halbwertzeit auszurechnen. Wenn die Trauer sich bei jemandem innerhalb von sechs Monaten auf die Hälfte reduziert habe, werde sie sich in weiteren sechs Monaten wieder halbieren.

Früher kam man selten auf die Idee, die menschlichen Gefühle zu messen und in Zahlen festzuhalten. Aber seit dem Super-GAU ist es für den Staat notwendig geworden, die Gefühle der Menschen zu verwalten, vor allem, um sich zu entscheiden, wie lange noch aus der Staatskasse die Schmerzensgelder bezahlt werden sollten.

Die Zeit des Verschwindens kennt eine andere Regelmäßigkeit als die, nach der man sich bis dahin orientiert hat. Ein Dichter erklärt in der letzten Nummer einer Apothekerzeitschrift die Halbwertzeit folgendermaßen: Wer letztes Jahr hundert Gedichtbände verkauft hat und dieses Jahr nur fünfzig, wird im kommenden Jahr fünfundzwanzig Exemplare verkaufen. Früher hat man gedacht, jedes Jahr fünfzig weniger, also nächstes Jahr null, aber das ist nicht der Fall. Die Idee der Halbwertzeit hat sich dank Plutonium als herrschendes Prinzip des Zeit-Managements etabliert.

Man spricht zunehmend von Abnahme und weniger von Wachstum. Die Erinnerung an einen Überfluss, an eine Überdosis oder an eine Überstunde taucht nur noch gelegentlich kurz auf wie ein flüchtiger Wind.

Mit der Zeit soll alles regelmäßig halbiert werden. Jede Fabrik muss in einem bestimmten Zeitraum die Produktion zur Hälfte reduzieren, denn das ist der einzige Weg fürs Überleben der Erde. Auch das Monatsgehalt wird halbiert und der Preis der Ware. Die Leistung wird daran gemessen, wie kurz die Halbwertzeit ist. Es reicht aber nicht aus, die Produktion und das Einkommen zu reduzieren. Die Gefühle kosten den Staat zu viel Geld, besonders die Trauer. Sie muss streng nach dem Plan der Halbwertzeit reduziert werden. Wenn man dem Plan hinterherhinkt, muss man die Lebenszeit kürzen.

Damals, als die Bevölkerung einverstanden war, dass die Katastrophenopfer Schmerzensgeld bekommen sollen, wusste niemand, dass die Schmerzen nicht im Laufe der Zeit von allein verschwinden. Die Zeit ist nicht mehr etwas, was vorwärtsläuft, sie läuft auch nicht rückwärts. Sie reduziert sich allmählich auf die kleinste Zahl der Welt, und zwar immer mit einer Verspätung.

Namida

1. Weinen und essen

Es war einmal ein Dichter, der sich nutzlos fühlte und die Hauptstadt verließ. Seine Frau nahm er nicht mit. Er wanderte in den Osten, wo er eine neue Existenz gründen wollte. Unterwegs lernte er andere Reisende kennen, mit denen er gemeinsam weiterzog. Als der Dichter und seine Reisegefährten deinen Ort namens Yatsuhashi erreichten, setzten sie sich am Wasser hin, um eine kurze Rast zu halten und den Reiseproviant zu essen. Einer von ihnen, der Schwertlilien (Kakitsubata) am Wasser blühen sah, bat den Dichter, ein Gedicht zu schreiben, in dem jede Zeile mit der Silbe aus dem Blumennamen begann. Es dauerte nicht lange, bis ein Meisterwerk dem Dichtermund entsprang.

„KArakoromo KItsutsu narenishi TSUma shi areBA harubaru ki nuru TAbi wo shizo omou"

Die Tränen, die aus den Augen der Zuhörer flossen, fielen auf den Proviant, den getrockneten Reis und weichten ihn auf.

Als ich zum ersten Mal diese Episode aus dem Klassiker aus dem zehnten Jahrhundert, „Ise monogatari", las, empfand ich die Kombination vom Reis und den Tränen komisch, sympathisch und rätselhaft.

Was hat mich stutzig gemacht? Ich war schon Gymnasiastin, hatte schon meine halbe Tränen-Karriere hinter mir, habe als Säugling, als Kind und als unglücklich verliebtes Mädchen genug geweint. Aber ich wusste nicht, dass erwachsene Männer wegen eines Gedichtes öffentlich weinen konnten. Wäre es ein Kinofilm gewesen, der auf die Tränen der Zuschauer zielte, hätte ich mich nicht gewundert. Solche schnulzigen Filme und Romane werden auf Japanisch „Onamida-chōdai" (Bitte-gib-mir-Tränen) genannt.

Das Gedicht über die Schwertlilien klingt aber keineswegs sentimental. Vielleicht waren die Männer im Mittelalter anders als heute. Heutzutage weinen die Männer meistens dann, wenn sie im Sport gewonnen oder einen Krieg verloren haben.

In diesem Gedicht geht es um ein weiches Thema, um das Gefühl für eine Frau, die man verlassen hat, weil man ihren Wert nicht zu schätzen wusste. Ich werde versuchen, dieses Gedicht originalgetreu und dennoch frei zu übersetzen. Ich kann mir vorstellen, dass niemand mit Hilfe meiner Übersetzung einen Zugang zu den eigenen Tränendrüsen finden kann, aber eine Übersetzung soll nicht das Gefühl der Leser manipulieren, sondern das erste Tor zum Original öffnen.

„Wie der Stoff meiner Kleidung, lange getragen und fast zur eigenen Haut geworden. Ihre Nähe zieht mich jetzt erst an und zog die Reise in die Länge. Ich merke, wie lange ich schon von dir fort bin."

Ich fragte mich, wie viel Tränen nötig waren, um den hart getrockneten Reis aufzuweichen. Man hat früher den Reis gekocht und getrocknet, um ihn auf eine Reise mitzunehmen. Diesen Reiseproviant nannte man „Hoshiii". Schreibt man das Wort mit Buchstaben des Alphabets, sieht es zu i-lastig aus. Auf Deutsch würde ich diesen Proviant „Reise-Reis" nennen.

Heute isst man keinen Hoshiii mehr. Stattdessen gibt es Pulversuppe mit getrockneten Nudeln: die „Cup-Noodles". Sie wird kalt verkauft und heiß gegessen. Um eine Portion Cup-Noodles einzuweichen, braucht man ungefähr 300 Milliliter heißes Wasser. Niemand kann so viel Tränen auf einmal produzieren außer den Drachen, aus deren Tränen bereits mehrere Teiche und Seen entstanden sind.

Ist es unpassend, dass die erhabene Träne auf das banale Lebensmittel fällt? Das nächste Beispiel aus der Moderne zeigt, dass die Träne und das Essen zusammengehören.

Im Spielfilm „Tampopo" (1985) gibt es eine Szene, in der viel geweint wird. Ein Mann zwingt seine Frau, die im Sterben liegt, aufzustehen, um für ihn und seine Kinder Abendessen zuzubereiten. Das tut er nicht aus Egoismus, sondern mit dem Wunsch, der Kranken wieder Lebenskraft zu geben. Die Frau reagiert nicht mehr auf Mitleid. Für sich selbst will sie nicht leben. Aber der Gedanke, dass ihre Kinder und ihr Mann etwas essen müssen, gibt ihr die letzte Kraft aufzustehen. Die bleiche Frau erhebt sich wie ein Gespenst und brät Reis mit Gemüse in der Pfanne. Ihre Kinder, die nichts ahnen, freuen sich und stürzen sich aufs Essen. Der Mann unterdrückt seine Tränen und sagt, es schmecke hervorragend. Zwei Sekunden später bricht die Frau zusammen und stirbt. Die Kinder fangen an zu heulen, aber der Vater gibt ihnen einen überraschenden Ratschlag: „Esst weiter! Eure Mutter hat das für euch gekocht!" Aus seinen Augen rollen große Tränentropfen, während er sich den Bratreis in den Mund schiebt. Obwohl diese Szene als kleine Komödie inszeniert ist, vermittelt sie eine Lebensweisheit. Gerade in dem Moment, in dem die Tränen fallen, darf man nicht vergessen weiterzuessen. Die Träne zieht diejenigen, die um den Verstorbenen trauern, mit sich ins Grab, wenn sie vergessen zu essen. Es wäre egoistisch und narzisstisch, sich zu lange mit eigenen Tränen zu beschäftigen. Der Tote ist für dich gestorben, also hast du die Pflicht zu leben!

2. Der Samurai und die Tänzerin

Ich möchte wieder den Tränenfluss der japanischen Geschichte stromaufwärts rudern, um die Träne im dreizehnten Jahrhundert zu betrachten. Von den beruflichen Kriegern, den Samurai, würde man vermuten, dass sie im Unterschied zu den weinerlichen Adligen ihre Tränen nie der Öffentlichkeit gezeigt hätten. Aber die epischen Erzählungen aus „Heike monogatari" widersprechen dieser Vermutung. Die Samurais in „Heike monogatari" weinen oft, und ihre Tränen werden nicht als Zeichen für Feigheit verstanden. Mir ist bewusst, dass man eine Literatur, die so poetisch und musikalisch geschrieben ist, nicht als historisches Beweismaterial benutzten kann, aber es steht zumindest fest, dass die Schwertkämpfer nichts dagegen hatten, als weinende Helden dargestellt zu werden. Sie hatten Hunderte von Jahren Zeit, die feuchten Textstellen aus dem Werk zu streichen, wenn sie es gewollt hätten.

Die heute überlieferte schriftliche Fassung von „Heike monogatari" stammt aus dem vierzehnten Jahrhundert. Dank den Biwah shi, die das Saiteninstrument Biwa spielten und die Heldenerzählungen rezitierten, waren manche Episoden aus dem Werk unter breiten Schichten der Bevölkerung bekannt. Heute gibt es kaum noch Biwah shi, aber dank den Schultexten werden sie weiter gelesen.

Taira-no-Kiyomori ist der bekannteste Samurai aus der Familie Taira, die im zwölften Jahrhundert ihren Hauptgegner, die Minamoto-Familie, besiegte. Der Kaiser Goshirakawa plant gegen Kiyomori eine Intrige, die vor der Realisierung bekannt wird. Kiyomori will die Beteiligten streng bestrafen, auch die „Unschuldigen", wie zum Beispiel Fujiwara Naritsune, den Sohn eines wichtigen Verbündeten des Kaisers. Naritsune zeigt Tränen, als er dem Kaiser vom eigenen Schicksal berichtet. Der Kaiser hat großes Mitleid mit ihm und verbirgt nicht seine Tränen. Darin unterscheidet er sich nicht von der Kinderfrau, die Naritsune gestillt und großgezogen hat.

Bis zu dieser Textstelle werden die Beziehungen, die weder genetisch noch genealogisch von Bedeutung sind, durch die Tränen unterstrichen: Der Kaiser weint für den Sohn seines Verbündeten, und die Kinderfrau weint für ihren ehemaligen Schützling. Interessanterweise steht nichts da über die Tränen der schwangeren Ehefrau von Naritsune. Es wird zwar erwähnt, dass sie wegen der Schwangerschaft und der bevorstehenden Hinrichtung ihres Mannes leide, aber sie weint nicht, oder zumindest werden ihre Tränen nicht erwähnt. Die Träne wurde nicht als „Ausdruck" der Gefühle verstanden, sondern hatte eine andere Funktion.

Naritsunes Schwiegervater, Taira-no-Norimori, der zum Glück Kiyomoris Bruder ist, will versuchen, seinen Schwiegersohn zu retten. Norimori bittet Kiyomori, Naritsune auf Bewährung weiterleben zu lassen. Norimori würde den Schwiegersohn bei sich aufnehmen und unter strenge Aufsicht stellen. Als Kiyomori diese Bitte ablehnt, kündigt Norimori an, das Leben als Samurai aufzugeben, um Mönch zu werden. Kiyomori erschrickt über diese Entscheidung und gibt nach.

Naritsune erfährt von der Begnadigung, aber weint weiter: Die Rettung des eigenen Lebens allein könne ihm nicht ausreichen. Wenn sein leiblicher Vater hingerichtet werden sollte, möchte er lieber mit ihm sterben. Erst, als klar wird, dass auch für den Vater eine Hoffnung besteht, ist Naritsune erleichtert. Aber er hört nicht auf zu weinen: Er weint jetzt aus Freude und Dankbarkeit.

Man hat den Eindruck, dass Samurai ein feuchter Beruf war. Nicht nur das Blut, sondern auch die Tränen waren Flüssigkeiten, die den Bund zwischen Männern verstärkten.

Als Naritsune und Norimori mit guten Nachrichten nach Hause kommen, werden sie am Tor von Familienmitgliedern empfangen, die alle vor Freude weinen. Die Freude über das Überleben eines Clans wird durch ein kollektives Weinen inszeniert.

Es gibt in „Heike monogatari" eine Episode, in der das Gefühlsleben der Frauen im Vordergrund steht. Das sind keine verheirateten Frauen, sondern freie Künstlerinnen. Sie tanzen und singen auf freien

Straßen, manchmal bekommen sie einen mächtigen Samurai als Mäzen. So wie über das Leben der heutigen Filmstars redet die Volkszunge gerne über ihre Affären, sodass ihre Tränen nicht in einer privaten Sphäre geschützt bleiben.

Im zwölften Jahrhundert, als die überreife höfische Kultur im eigenen bittersüßen Duft zu verfaulen begann und den Berufskämpfern, Samurai, die Hauptbühne der Politik überlassen werden musste, entstand eine neue Tanzrichtung, die „Shirabyoshi" genannt wurde. Die Vertreterinnen dieser Richtung waren Frauen, die als Mann verkleidet waren und an der Hüfte ein Schwert trugen. Vielleicht war es ein Überrest der schamanistischen Tradition, in der der Geschlechtswandel als Zeichen dafür verstanden wurde, dass man mit den Göttern in Kontakt gekommen war. Der Übergang von den alten Ritualen zur Tanzkunst war fließend, auch wenn Shirabyoshi kein religiöser Tanz war.
Zu dieser Zeit lebten in der damaligen japanischen Hauptstadt Kyoto zwei Schwestern, Gio und Gi-nyo, die als junge, begabte Shirabyoshi-Tänzerinnen bekannt waren.
Die ältere Schwester Gio wurde bald die Geliebte von Kiyomori, dem mächtigsten Mann seiner Zeit. Kiyomori stellte Gio eine Stadtvilla zur Verfügung, sodass ihre Familie dort leben konnte, auch wenn Gio selbst die meiste Zeit bei ihm auf seinem Wohnsitz verbrachte. Ihre Mutter, die nach dem Tod

ihres Mannes lange genug bitteren Reis gegessen hatte, freute sich über das sorgenlose Leben in der vornehmen Villa.

Eines Tages erschien eine andere Tänzerin in der Hauptstadt und zog die ganze Aufmerksamkeit der Stadtbewohner auf sich. Sie war sechzehn Jahre alt, stammte aus der Region Kaga, ihr Name war Hotoke. Eines Tages dachte sie: „Ich habe mir als Shirabyoshi-Tänzerin einen Namen gemacht. Aber Kiyomori hat mich noch nie zu sich eingeladen. Heute werde ich mich einladen, das gehört zur Sitte der Straßenkünstlerinnen." Hotoke machte sich auf den Weg nach Nishihachijo, wo Kiyomori seinen Wohnsitz hatte. Zuerst war er wütend über den Hochmut der Straßenkünstlerin. Da Gio ihn beruhigte, ließ er die junge Tänzerin doch auf seiner Hausbühne tanzen und verliebt sich auf der Stelle in sie. Er bat Hotoke, bei ihm zu bleiben. Sie lehnte aber sein Angebot ab und sagte: „Ich kam ohne Einladung hierher, so gehe ich trotz Ihrer Einladung wieder. Außerdem habe ich es Gio zu verdanken, dass ich hier tanzen durfte. Wie könnte ich etwas tun, was ihr schadet?"

Ich bewundere die junge Tänzerin im Mittelalter, die sich so selbstbewusst gegenüber Kiyomori verhält. Oder genauer: Sie wird als solche in der Geschichte dargestellt, und die Bevölkerung hörte sie gerne. Als Kiyomori das hörte, befahl er seiner Geliebten Gio, sofort sein Haus zu verlassen, damit Hotoke keine Rücksicht mehr auf sie nehmen musste.

Gio war zwar reif genug zu wissen, dass ein einflussreicher Mann wie Kiyomori sie früher oder später verlassen würde. Für ihn gab es keinen Grund, die alte Geliebte zu behalten, wenn ihm eine neue, jüngere besser gefiel. Jedoch ahnte sie nicht, dass der Tag ihres Abgangs so plötzlich kommen würde. Vor einer Stunde war sie noch die Geliebte von Kiyomori gewesen, aber jetzt musste sie auf der Stelle gehen. Die Tränen flossen aber nicht sofort. Erst, als sie realisierte, dass sie die gewohnten Räumlichkeiten verlassen musste, kamen die Namida, die Tränen.

Ein Spruch, der zu den Tränen gut passen würde und den wir aus den modernen Melodramen kennen, wie etwa „Liebst du mich nicht mehr?", kommt nicht vor. Überhaupt findet man im Text kein Substantiv, das man als „Liebe" übersetzen könnte.

Gio erhielt keine Unterstützung mehr von Kiyomori für ihre Mutter und Schwester. Aber das war kein Grund für sie zu weinen. Gio suchte am Rande der Stadt ein bescheidenes Haus und lebte dort mit ihrer Mutter und Schwester. Eines Tages kam ein Bote aus Nishihachijo. Kiyomori hatte ihn zu Gio geschickt, weil Hotoke keine Freude mehr am Leben empfand und nur noch traurig in die Leere starrte. Heute würde man sagen: Hotoke habe Depressionen.

Kiyomori befahl Gio, für Hotoke zu tanzen, damit diese wieder gesund wird. Kiyomori ist der Meister der Rücksichtslosigkeit. Gio war verletzt, weinte aber nicht sofort. Ihre Tränen kamen erst im Haus von Kiyomori, als sie vom Hausdiener einen Platz zugewiesen bekam, der vom Sitz des Hausherrn weit entfernt lag. Die Sitzordnung hatte anscheinend eine größere Kraft als Worte, die Tränen fließen zu lassen.

Kiyomori merkte nicht, wie sich Gio fühlte, und befahl ihr zu singen und tanzen. Sie unterdrückte die Tränen und sang: „Eines Tages kommt jeder zur Erkenntnis. Bei manchen dauert es lange, denn vor ihnen steht ein Hindernis: Die Tragödie der Gegenwart, in der jeder seine Einsamkeit bewahrt. Es ist bloß Verschiebung der Zeit, die uns scheinbar voneinander trennt."

Alle Anwesenden, hauptsächlich Samurais, waren gerührt und vergossen Tränen. Auch Kiyomori gefiel das Lied, er weinte aber nicht und befahl Gio zu tanzen. Diese unterdrückte die Tränen und verließ die Villa.

Da die anderen Männer relativ häufig weinen, ist es auffällig, dass Kiyomori seine Tränen nicht einmal unterdrücken muss. Das war vielleicht ein Grund für seinen beispiellos schnellen politischen Aufstieg. Zu Hause gab es noch ein Gespräch zwischen Gio mit ihrer Mutter und Schwester, das auch von Tränen durchnässt war. Am Ende entschied sich Gio, als Nonne zu leben. An ihrem einundzwanzigsten Geburtstag ließ sie ihre Kopfhaare abrasieren und bezog eine verlassene Hütte tief in den Bergen. Ihre Schwester und die Mutter folgten ihr.

Im einfachen Leben in der Natur gab es keinen Grund zu weinen.

Aber eines Tages kommen sie doch noch einmal zu den Tränen, und zwar dieses Mal in einer großen Menge, die sogar mit dem Regen verglichen wird. Es war ein Herbstabend. Jemand klopfte an die Tür der Hütte. Zur großen Überraschung der drei Frauen stand Hotoke in der Dunkelheit. Sie erzählte, wie schlecht es ihr seitdem gegangen war. Sie habe Gio gegenüber ein schlechtes Gewissen, und deshalb sei sie krank geworden. Sie habe Kiyomori gebeten, ihr freizugeben, damit sie Gio besuchen könne. Er habe ihre Bitte abgelehnt, und daraufhin habe sie ihn verlassen, mit dem Wunsch, mit Gios Familie für immer zusammenzuleben.

Während Hotokes Tränen strömten, unterdrückte Gio ihre Tränen und sagte, sie selbst sei aus Groll Nonne geworden, während Hotoke denselben Weg gehe, ohne dass Kiyomori sie verlassen habe. Die Flüssigkeit aus den Augen vereinigte die vier Frauen, die ungeklärten Knoten im Herzen lösten sich.

Seitdem lebten die vier Frauen zusammen in ihrer Hütte, in der Räucherstäbchen und die Blüten der Jahreszeit den Duft bestimmten. In einer alten Tempelchronik steht, dass die vier Frauen zwar unterschiedlich lange gelebt haben, aber in einem einzigen Grab begraben worden seien. Die Tränen, die bei jeder Beerdigung vergossen wurden, sind nicht erwähnt.

3. Ein Lächeln im Gesicht, weinen mit den Händen

An einem milden Nachmittag am Anfang des zwanzigsten Jahrhunderts sitzt Hasegawa, ein Professor an der Universität Tokio, auf der Veranda und liest in August Strindbergs „Dramaturgie". Es gibt im Text eine Stelle über eine gewisse Frau Heiberg: „Ihre Hände rissen das Taschentuch entzwei, während das Gesicht lächelte." Für Strindberg handelt es sich hier nicht etwa um die Unterdrückung des Gefühls, sondern um ein doppeltes Spiel. Im Vorwort schreibt er, dass das Schauspiel die leichteste Kunst sei. Es gebe keinen Menschen, der gar nicht spielen könne, denn jeder müsse im Leben sich selbst spielen.

Einer seiner Hausangestellten bringt ihm eine Visitenkarte und meldet eine Besucherin an. Hasegawa wirft einen kurzen Blick auf den Namen Atsuko Nishiyama. Er kann sich an keine Dame mit diesem Namen erinnern, gibt dennoch dem Angestellten die Anweisung, sie als Gast zu empfangen.

Die Besucherin ist etwa vierzig Jahre alt, elegant mit einem Kimono bekleidet. Es stellt sich heraus, dass sie die Mutter eines ehemaligen Studenten von Hasegawa ist. Ihre Stimme bleibt ruhig, als sie sagt, ihr Sohn sei an Peritonitis gestorben. Hasegawa sucht vergeblich nach Tränen in ihren Augen. An ihrem Mundwinkel ist sogar ein freundliches Lächeln zu sehen. Er reagiert irritiert, lässt seinen Fächer aus der Hand fallen. Um ihn aufzuheben, beugt er sich hinab und sieht zufällig die Hände der Frau, die unter dem Tisch auf ihrem Schoß liegen und heftig zittern. Ihre Finger zerknüllen unruhig ein weißes Seidentaschentuch und ziehen es wieder wild auseinander, als wollte sie es zerreißen.

Hasegawa ist beeindruckt von der Frau und denkt, ihr Verhalten sei ein gutes Beispiel für die weibliche Samurai-Tugend. Beim Abendessen erzählt er seiner Frau, einer Amerikanerin, von der Besucherin. Die japanophile Ehefrau hört ihm interessiert zu und empfindet Mitleid mit der Besucherin.

Das war die Handlung der berühmten Erzählung „Hankachi (Taschentuch)", die Ry noshuke Akutagawa 1916 in der Zeitschrift „Ch k ron" veröffentlichte. Als Modell für die Figur des Professors Hasegawa dient Inaz Nitobe, der zwischen 1884 und 1891 an der Johns Hopkins University in den USA und dann in Bonn und Halle studierte. Sein Buch „Bushido: The Soul of Japan", das er auf Englisch verfasst und im Jahr 1900 veröffentlicht hatte, prägte die Vorstellung vom Samurai im Ausland wie kein anderes Buch.

Allerdings veränderte der Samurai im Laufe der Jahrhunderte seine Verhaltensweisen. Während die Samurais in „Heike monogatari" oft weinten, kennt der ideale Samurai von Nitobe keine Träne.

Nitobe schreibt im Vorwort, wie er auf die Idee kam, dieses Buch zu schreiben. Einmal waren er und seine amerikanische Frau beim belgischen Juristen Émile Lous Victor de Laveleye zum Abendessen eingeladen. Dieser war entsetzt, als er hörte, dass in japanischen Schulen kein Religionsunterricht gegeben wird. Denn für den Belgier gäbe es keine Moralvorstellung ohne Religion. Nitobe war erschrocken von der erhobenen Stimme des Belgiers, wollte antworten, dass er durchaus ethische Bildung genossen hatte, die aber auf keiner Religion basierte. Es dauerte noch lange, bis er für sich eine Antwort fand. Seiner Ansicht nach kann man aus dem Buddhismus keine Moral im engsten Sinne ableiten. Mit der Annahme, dass der Ehrenkodex der Samurai als Grundlage für eine japanische Ethik dienen könnte, fing Nitobe an, sein Buch zu schreiben, und zwar auf Englisch. Entsprechend findet man immer wieder die Geste, Vorurteile gegenüber japanischen Verhaltensweisen aufzuklären. Allerdings gibt Nitobe zu, dass die japanische Erziehung zum Teil übertrieben sein könne.

2011, nach dem Super-GAU in Fukushima, war ich in Deutschland mit der Frage konfrontiert, warum die Japaner bei einer „Katastrophe" Ruhe bewahren. Diese Frage konnte mit Bewunderung verbunden sein, oder aber auch mit Misstrauen gegenüber Gesichtern, die keine Tränen zeigen. Das Titelblatt der Zeitschrift „Stern" (Nr. 13 vom 24.3.2011) zeigte eine lächelnde Geisha. Im Hintergrund sind Männer in orangefarbenen Schutzanzügen klein abgebildet.

4. Die Tränen der Roboter

Weinen ist für die Kinder ein selbstverständlicher Bestandteil des Lebens wie das Spielen oder das Schlafen. Sie müssen trotzdem lernen, wann und wie lange sie weinen dürfen. Was den Umgang mit Tränen angeht, können die Erwachsenen für sie kein Vorbild sein. Denn die weinen nicht oder zu selten in Anwesenheit von Kindern. Daher glaubte ich als Kind, dass die Tränenproduktion im Erwachsenenalter automatisch ausgeschaltet wird. Ich habe meinen Vater noch nie weinen gesehen, meine Mutter nur einmal. Die Lehrerinnen und Lehrer weinten nicht in der Schule. Die Verwandten, die Nachbarn, die Eltern der Freunde weinten nicht. Wer weint überhaupt mit den Kindern? Die Märchenfiguren und die Tiere aus den Bilderbüchern? Oder die Gespenster und die Roboter aus Comics und Zeichentrickfilmen?

Viele Menschen denken, dass ein Roboter keine Träne produzieren könne. Was einen Roboter wie „Tetsujin Nij hachi-g" betrifft, mögen sie recht haben. Dieser Roboter, der während des Zweiten Weltkrieges als Vernichtungsmaschine konstruiert wurde, kennt keine Gefühle. „Weinen" ist ein Fremdwort für ihn. Er hat auch keine psychische Struktur, die ihn zu einer „guten" oder „bösen" Tat führen könnte. Es ist die Aufgabe von Sh tar und seinen Freunden, die Fernsteuerung des Roboters von den

Händen der bösen Macht fernzuhalten. Interessanterweise hat aber diese Roboterfigur, die seit 1956 als Manga, Fernseh-Anime, Hörspiel, Kinofilm, Theaterstück und Computerspiel in Japan präsent ist, einen Vorgänger, von dem er sich grundsätzlich unterscheidet: „Astro Boy", der weinen kann.

Anfang der fünfziger Jahre startete „Astro Boy" von Osamu Tezuka als eine Manga-Serie und beeinflusste die Kinder mehr als zwei Jahrzehnte lang. Die erste Folge der Animes lief zwischen 1963 und 1966 im Fernsehen, und ihre sehr hohe Einschaltquote zeigt, dass sie einen eher großen Einfluss auf die Generation ausübte, die damals aufwuchs.

Astro Boy besaß von Anfang an eine Fähigkeit, die für einen Roboterjungen nicht selbstverständlich ist: die, Tränen zu vergießen. In der ersten Folge der Mangas wird diese Fähigkeit neben anderen Fähigkeiten wie zum Beispiel, dass er fliegen kann oder sechzig Sprachen beherrscht, deutlich erwähnt.
Astro Boy wird von Professor Temma gebaut, nachdem dieser seinen einzigen Sohn Tobio durch einen Autounfall verloren hat. Als Temma aber feststellt, dass Astro Boy nicht wächst und für immer ein Kind bleiben wird, verkauft er den Roboterjungen an einen Zirkus. Ein anderer Wissenschaftler, Dr. Ocha-no-Mizu, entdeckt Astro Boy zufällig, kauft ihn dem Zirkus ab und wird somit sein neuer Adoptivvater.

Wozu brauchte Astro Boy aber seine Tränen? Er weinte nicht, als er an den Zirkus verkauft wurde. Es gab früher den Stadtmythos der Eltern, die ihre „unzähmbaren" Kinder an einen Zirkus verkauften. Aber Astro Boy zeigte uns, dass der Zirkus kein Ende der glücklichen Kindheit, sondern der Anfang eines Abenteuers bedeutet.

Mir ist nur eine einzige Szene bekannt, in der Astro Boy weint. Seine jüngere Schwester verschwindet, und Astro Boy weiß nicht, was zu tun ist. Er heult und sagt, er sei kein guter großer Bruder. Er hat zwar zwei Väter, aber für sie würde Astro Boy keine Träne verlieren. Die Mutter existiert nicht. Er kennt keine Sexualität, spürt nicht einmal kindliche Interessen für Geschlechtsorgane. Die kleine Schwester ist die Einzige, die auf seine Tränendrüsen drücken kann.

Genau ein halbes Jahrhundert später behandelt Steven Spielberg eine ähnliche Geschichte in seinem Film „A.I. Künstliche Intelligenz" (2001). Ein Roboterjunge wird als Ersatz für ein Kind, das bald sterben soll, gebaut. Der Auftraggeber ist der Vater des sterbenden Kindes. Die Mutter, die vom bestellten Roboter nichts wusste, ist zuerst überrascht und entsetzt, als sie ihn, dessen äußere Erscheinung sich von einem lebenden Jungen nicht unterscheidet, zum ersten Mal sieht. David ist dennoch kein Klon, sondern eine Maschine. Die Mutter kümmert sich um den Roboterjungen und empfindet schnell mütterliche Liebe für ihn. Aber dann passiert etwas Unerwartetes: Das kranke Kind stirbt doch nicht, und der Roboterjunge David wird überflüssig. Die Mutter liebt beide Jungen, aber der leibliche Sohn quält David aus Eifersucht. Der Vater beschließt, David in einem Wald auszusetzen. Allein das Wissen, dass David kein Mensch ist, reicht ihm aus, um das Mitleid auszuschalten. Die Mutter hingegen will sich nicht von David trennen, aber sie wird unter Druck gesetzt und geht doch mit David in einen Wald mit der Absicht, ihn dort allein zu lassen. David bittet sie panisch, ihn nicht zu verlassen. Er ist außer sich, aber er zeigt keine Träne, auch, nachdem die Mutter aus der Sicht verschwunden ist.

Ganz am Ende des Films, nach vielen Abenteuern, die er noch erlebt, darf David einen einzigen Tag mit der Mutter verbringen, die zu diesem Zeitpunkt eigentlich schon tot ist. Aus Davids Augen fließen Tränen des Glückes, und sie werden in Großaufnahmen auf der Leinwand gezeigt, als Beweis für seine Menschlichkeit, was den Höhepunkt des Films ausmacht.

Auffällig ist, dass David schon von Anfang an laut lachen kann, aber nie weint. Sein Lachen wird übertrieben, grotesk, fast unheimlich dargestellt. Dabei könnte man denken, dass das Lachen genau wie das Weinen eine exklusive Fähigkeit der Menschen sei. Die Tiere lachen nicht, außer der Katze in „Alice im Wunderland".

Astro Boy hatte nie den Wunsch, eines Tages zu einem „echten" Menschen zu werden. Er entwickelt sich später, als der Konflikt zwischen den Menschen und den Robotern verschärft wird, zum Vermittler zwischen den beiden Gruppen. Seine Fähigkeit, menschliche Denkweisen und Gefühle zu verstehen, hilft ihm bei seiner Friedensarbeit. Es geht ihm jedoch nie darum, selber ein Mensch zu werden. David aus dem Film „A.I." hingegen hofft die ganze Zeit, ein „echter" Junge zu werden, damit die Mutter ihn liebt. Dabei hat seine Mutter keine Schwierigkeit, einen Roboter aus vollem Herzen zu lieben.

Es gibt eine brutale Szene, in der die Roboter wie bei einer Hexenverbrennung vernichtet werden. Sie haben nicht alle die Gestalt eines Menschen wie David, aber sie sprechen die menschliche Sprache, und dadurch empfand ich diese Vernichtung als unmoralisch. Kann der Mensch Mitleid gänzlich abschalten, wenn er glaubt, dass das Opfer kein Mensch sei? Ist diese menschenzentristische Einstellung eventuell nicht gefährlich? Mir wurde übel beim Zuschauen der Szene der Robotervernichtung. Dabei würde ich selber ein kaputtes Navigationssystem ins Feuer werfen, selbst wenn es mit einer freundlichen weiblichen Stimme spricht. Wäre es anders, wenn ich aus dem Gerät Tränen fließen sehen würde?

5. Sportliche Tränen

Wenn ich über die Träne nachdenke, fällt mir sofort der Zeichentrickfilm „Kyojin no hoshi" ein. Ich bekam die erste Folge mit, die von 1968 bis 1971 im Fernsehen ausgestrahlt wurde. Das Titellied dieser „Animes" hat in meinem Gedächtnis eine tiefe Spur hinterlassen, obwohl seine militärisch-sentimentale Melodie mir gar nicht gefiel und der Liedtext auf mich abstoßend wirkte.

Hoshi Hyuma, der später zum „Stern" (Hoshi) des Baseball-Teams „Kyojin" (Giants) wird, lernt schon als kleiner Junge von seinem Vater, Baseball zu spielen. Die Trainingsmethode des Vaters ist brutal: Ein extremes Beispiel dafür ist eine besondere Zwangsjacke mit vielen Sprungfedern, die er seinem Sohn anzieht. Der kleine Junge kann nicht einmal eine Teetasse vom Tisch heben, ohne seine Oberkörpermuskeln voll zum Einsatz zu bringen. Es wird weder diskutiert noch widersprochen, sondern nur trainiert. Solche autoritären Vaterfiguren verloren spätestens in den achtziger Jahren ihre Dominanz in den Sport-Animes.

Im Titellied von „Kyojin no hoshi" kommt jedoch der Vater nicht vor, aber die Träne: „Lass Blut und Schweiß fließen, wisch nicht deine Tränen ab, bis du den Stern der Riesen erreicht hast!"

Das Blut, der Schweiß und die Tränen werden hier als drei wichtige Flüssigkeiten, die als Opfer für eine hohe Leistung gebracht werden sollten, nebeneinander erwähnt.

Handwerker, Bauern und auch Künstler bezeichnen ihre Werke, an denen sie lange und intensiv gearbeitet haben, als „Ase no kessh " (Kristall aus Schweiß). Anders als bei dem deutschen Ausdruck „Lohn für Schweiß", fließt der Schweiß nicht weg, sondern das Werk selbst besteht aus Schweiß, der die Struktur eines Kristalls gebildet hat.

Zwar hat die Industrie für Körperpflegemittel es teilweise geschafft, dem Schweiß ein ausschließlich negatives Image zuzuschreiben, aber der Schweiß ist in der japanischen Sprache doch salonfähig geblieben, besonders, wenn er mit dem Fleiß oder der Sportlichkeit in Verbindung steht.

Das Titellied sagt nicht etwa, dass der Junge seine Tränen verbergen solle. Er soll weinen, wenn er verzweifelt oder von einer Niederlage enttäuscht ist. Aber er soll sich nicht weiter mit den eigenen Tränen beschäftigen, denn das wäre sentimental oder narzisstisch.

Es ist offensichtlich, dass der Schweiß ein Zeichen für eine Leistung ist. Bei der Träne und dem Blut muss erst eine Geschichte eine Verbindung zur Leistung herstellen.

Das Blut begleitet Hoshi Hyoma bei seiner schmerzhaften Karriere. In einem entscheidenden Spiel werden seine Finger schwer verletzt. Als Werfer kann er dem Gegner seine Schmerzen nicht zeigen. Er führt das Spiel souverän fort, aber der Ball, den er wirft, färbt sich rot. So entsteht die Legende des roten Balls. Im Unterschied zum Blut hat die Träne keine Farbe. Anders als der Schweiß hat sie keinen Geruch.

Ein Mensch, der kein Mitleid kennt, wird „Chi mo namida mo nai hito" (Ein Mensch ohne Blut und Tränen) genannt. Die Schmerzen, die der Schweiß nicht kennt, verbindet die Träne mit dem Blut.
Blut, Schweiß und Tränen: Die Körperflüssigkeiten sind in diesem Dreierpack eher männlich konnotierte Beweismaterialien für ihre Leistung, wobei die Träne auch als „unmännlich" empfunden werden kann. Der weltweit verbreitete Spruch, dass ein Junge nicht wie ein Mädchen weinen solle, ist auch in Japan bekannt. Männliche Wesen dürfen und sollten weinen, wenn es dafür einen „männlichen" Grund gibt. „Otoko-Naki" (männliches Weinen) wird vor allem dadurch definiert, dass der Grund dafür wichtig ist und selten genug vorkommt.
Niemand weiß, ob die Mädchen wirklich öfter weinen als die Jungen, aber der Unterschied besteht dem Klischee nach darin, dass die Mädchen aus unwichtigen Gründen beziehungsweise ganz ohne

Grund weinen oder selber nicht wissen, warum sie weinen.

Im Titellied des Zeichentrickfilms über Frauenvolleyball, „Atakku Nanbaa Wan" (deutscher Titel: Mila Superstar), der auch von 1968 bis 1971 im Fernsehen ausgestrahlt wurde, kommt der Satz vor: „Aber mir fließen die Tränen, weil ich ein Mädchen bin." Dieser Satz taucht ohne Zusammenhang mitten im Liedtext auf. Es wird sonst nichts erwähnt, was ein sportliches Mädchen von einem sportlichen Jungen unterscheidet. Das Mädchen ist auch schnell, stark und stolz wie der Junge. Was ihre Identität ausmacht, ist anscheinend, dass sie ohne Grund weint.

Die Annahme, dass die weiblichen Wesen ohne Grund weinen, klingt nach Verachtung gegenüber Frauen. Aber später fand sie eine Akzeptanz unter jenen Frauen, die das Wort „Hormone" als identitätsstiftendes Vokabular neu entdeckt haben.
Eine Frau muss weinen, wenn weibliche Hormonen „verrücktspielen". Und dass eine Frau grundlos weinen kann, ist ein gutes Zeichen dafür, dass die Hormone vital und selbstständig arbeiten können.
Auch ich kann mich mindestens an zwei Situationen erinnern, in denen mir große Tränen aus den Augen fielen, ohne dass ich den Grund dafür wusste. Aber es war kein Bubenstreich der Hormone. Es gab schon Gründe zu weinen, aber sie waren

so komplex, dass ich sie nicht so schnell sprach-
lich fassen konnte. Wenn die Träne mich fasziniert,
dann in solchem Moment, in dem die Gefühle
materialisiert werden, lange bevor die Sprache sie
erreicht hat.

6. Tränen aktuell

Ich stelle mich jetzt auf ein Surfbrett, um zu sehen,
was für Beiträge zum Thema „Tränen" im japanischen Internet-Meer zu finden sind. Als Erstes fällt
mir auf, dass der gesundheitliche Aspekt im Vordergrund steht, wie zum Beispiel: Wenn man weine,
werde das Nervensystem aktiviert, das mit Serotonin in Zusammenhang stehe. Diese Aktivierung
sei günstig für die Gesundheit, denn der Mangel
an Serotonin könne den Menschen psychisch labil
oder motivationslos machen. Nachdem man Tränen vergossen habe, vermehren sich im Körper die
Endorphine, jene Hormone, die das Gefühl der
Euphorie hervorrufen. In Tränen sei außerdem das
Stresshormon Cortisol enthalten, das das Immun-
system schwäche und den Blutdruck erhöhe. Mit
Tränen werde der schädliche Stoff Cortisol aus dem
Körper ausgeschieden.
Kann man wirklich Cortisol mit Tränen aus dem
Körper ausgießen? So einfach kann es nicht sein,
aber viele Frauen und wahrscheinlich auch Männer
wissen aus eigener Erfahrung, dass es ihnen nach

dem Weinen besser geht. Für sie ist jede Erklärung aus der Biochemie eine verspätete Bestätigung.

Manche Einträge im Internet verblüffen mich durch ihren unerschütterlichen Pragmatismus: Einmal in der Woche zu weinen sei gesund. In der Woche müsse man jedoch arbeiten. Also weine man am besten am Wochenende. Wer nicht gut weinen könne, solle vorher spazieren gehen und sich entspannen. Nach dem Weinen solle man nicht vergessen, ein „Sportgetränk" zu trinken. Als ich das las, musste ich lachen, Tränen in den Augen.

Über Knut

Ich sah Knut am Rande einer Felsplatte stehen und in der Luft schnüffeln. Dabei wurde seine Schnauze immer länger, wie ein Teleskop. Es sah aus, als hätte er Sehnsucht nach dem Land des ewigen Eises und Schnees. Von Heimweh kann hier jedoch nicht die Rede sein, denn Knut war in Berlin geboren worden, und somit war er ein Europäer (oder genauer: ein Eurobär).

Wir sind im Vergleich zu den Eisbären fast „nasenblind". Knut hätte vom Berliner Zoo aus eine Robbe in Pankow riechen können, falls dort eine gewesen wäre.

Ein Geruch wird gerochen. Ich dachte, dass ein Gerücht auch gerochen werden kann. Etymologisch gesehen hat das Wort „Gerücht" jedoch nichts mit dem Riechen zu tun, sondern eher mit dem Rufen und dem Gerede.

Der Eisbär soll einen außerordentlich intensiven Körpergeruch haben. Leider hatte ich nie die Gelegenheit, an Knuts Leib zu schnuppern. Nicht der Geruch von Knut, sondern Gerüchte über ihn brachten mich auf die Idee, einen Roman über Knut zu schreiben. Diese Gerüchte sagten mehr über unsere Gesellschaft aus als über die Eisbären. Das erste Gerücht, das mir zu Ohren kam, war eine gewagte Spekulation über Knuts Mutter Toska: Sie habe den Mutterinstinkt verloren, weil sie in einem sozialistischen Zirkus gearbeitet habe.

Der Tierpfleger Thomas Dörflein hat es ganz ohne „Mutterinstinkt" geschafft, Knut großzuziehen. Er gehörte nicht einmal zur selben Spezies wie Knut.

Nach Knuts Tod entstand ein anderes Gerücht: Seine leibliche Mutter habe sofort erkannt, dass er ein defektes Gehirn habe, und ihn deshalb abgelehnt. Die Natur sei grausam, lasse ein behindertes Kind einfach sterben.

Die Massenmedien berichteten von Knuts Gefühlsleben, als bestünde kein Zweifel daran, dass der Eisbär über die gleiche Gefühlspalette verfügte wie wir: Den Trennungsschmerzen beim Abschied vom Pfleger folgte die Freude beim Zusammensein mit der ersten Freundin Giovanna, dann belastete ihn das Gefühl des Ausgeschlossenseins in der WG mit drei älteren Bärendamen.

Jedes Menschenkind kann sich ohne große Mühe in einen kleinen Bären hineinfühlen. Weltweit werden Kinderbücher geschrieben und gelesen, in denen die Bären Hauptrollen spielen. Es muss einen Grund geben, warum die Natur diese Zuneigung im Menschenkopf programmiert hat. Knut hat eine außergewöhnlich große, internationale Fangemeinde für sich gewonnen. Es gibt ein Gerücht, dass die Natur in diesem Jahrhundert besonders die Eisbären so attraktiv erscheinen lasse, um die Menschen auf das Verschwinden des arktischen Meereises aufmerksam zu machen.

フランス風デザート

3. Französischer Nachtisch

Roland Barthes als Spielbühne

Schon kleine Kinder bauen am Strand eine Sandmauer um sich, bevor sie anfangen zu spielen. Sie haben das bei den Erwachsenen, den professionellen Urlaubern, abgeguckt. Sie schauen nicht aufs offene Meer, sondern auf das eigene Sandkasten-Territorium. Als Vortragende sollte auch ich zuerst die Grenze markieren und klarstellen, welche Frage ich behandele und welche nicht oder: warum ich überhaupt über ein bestimmtes Thema spreche und nicht über ein anderes und vor allem in welcher Reihenfolge. Und selbst wenn diese Sandmauergeste mit scheinbarer Offenheit und Überschaubarkeit eine bessere Kommunikation ermöglicht, muss ich daran denken, dass Roland Barthes keine Sandmauer um sich gebaut hat, zumindest nicht so, wie das der akademischen Erwartung von damals entsprochen hätte. Er rechtfertigt nicht seine Wahl und die Reihenfolge des Programms auf seinem Varieté. Er sortiert seine Bühnenkünstler nicht nach Kategorien, denn damit würde er sie zu bloßen Beispielen für seine These machen. Sie sollen tanzen, singen, springen und zaubern, aber nicht als Beispiele dienen.

Eine abwechselungsreiche Programmzusammenstellung ist wichtig für das Varieté der Mythen. Einer schweißtreibenden Bewegung des Catchens folgt die Starrheit bestimmter Fotos, die als Initiationsritus gelesen werden. Die *gewaltige* Differenz zwischen den armen Menschen und den Proletariern wird direkt neben die *feine* Differenz zwischen der Sowjetunion und dem Mars gestellt. Man stolpert fast, wenn nach den Kindern von den Spielsachen die Rede ist. Es ist zu einfach zu folgen, nachdem man die Literaturkritiker mit dem Seifenpulver in Verbindung setzen musste. Sie haben kaum Gemeinsamkeiten, außer dass beide etwas weismachen (weiß machen) können. Das Buch *Mythen des Alltags* spielt stets mit der Kontinuität und der Unterbrechung. Das Prinzip, jeden Teil lebendig zu halten, ist in jede Zelle des Buches hineingewachsen, sodass man das Buch in beliebiger Reihenfolge lesen kann.

Das Geschriebene, das sich immer wieder neu schreibt, wirkt lebendig, während der Autor tot ist: Wenn das so ist, spielt es keine Rolle mehr, ob nur ein Toter oder mehrere Tote gemeinsam an einem Buch schreiben. Es gibt keine Kapitel, sondern mehrere Kapitäne und mehrere Schiffe. Der erste fährt mit seinem Vorwort rückwärts, der zweite agiert auf der Bühne, damit das Schreiben in der Gegenwart des Schreibens bleibt. Der dritte ist zuständig für die Theorie. Irgendwo muss es auch eine Künstlergarderobe geben, in der die abgeschminkten Schauspieler miteinander freundliche Worte wechseln, auch wenn sie auf der Bühne Feinde waren. Erklären und Beschreiben, Erzählen und Analysieren, Beobachten und Kritisieren: Sie kommen zusammen. Es ist übertrieben, von einer Versöhnung zu sprechen. Andererseits ist es untertrieben, von einer Utopie zu sprechen.

Während eine Ideologie eine Zielvorstellung hat, braucht die Komposition der Lebendigkeit kein Ziel. Es geht um jede Wasserfläche, jede Welle und jeden Fisch. Das Schiff ist überhaupt das Fahrzeug der alten Mythologie. Odysseus, Arche Noah, der fliegende Holländer. Ein Geisterschiff, das von einem toten Kapitän gesteuert wird, ist kein Transportmittel, mit dem ein Ziel erreicht werden muss. Das Schiff sei, so schreibt Roland Barthes, ein „Symbol des Aufbruchs" und gleichzeitig ein „Ort des Wohnens".

Als ich im Vorwort entdeckte, dass die „bürgerliche Norm" als „Hauptfeind" bezeichnet wird, musste ich laut lachen. Ich glaubte, ein Augenzwinkern des Autors gesehen zu haben. Hat er in mir eine Komplizin entdeckt, oder drückte er selbstironische Distanz zu der eigenen politischen Haltung aus? Damals galt es sicher noch nicht als unreif, altmodisch oder unpräzise, die bürgerliche Norm einfach als Hauptfeind zu bezeichnen. Dennoch ist Ideologiekritik für den Autor schon am Zeitpunkt der Entstehung des Buches etwas, das er aus dem Keller holt, um es bewusst fortzusetzen. Er hat mit der Zeichentheorie ein neues Rezept. Und die frischen Zutaten hat er nicht in der Literatur, sondern außerhalb der Literatur gefunden, obwohl und weil es kein „außerhalb der Literatur" gibt.

Heute ist es verbreitet, die Bilder, die die Massenmedien produzieren, als Mythen zu analysieren. Insofern war *Mythen des Alltags* ein epochemachendes Werk. Anders als ein Theaterregisseur, der sein Werk als eine besondere Ware verkaufen will, stellt Roland Barthes seine Inszenierungsidee nicht als genialen Einfall eines genialen Autors heraus. Der Text selbst verkörpert diese Idee, indem er tanzt, singt, springt, zaubert und nie stehen bleibt. Er braucht kein Alibi wie jemand, der sagt: Ich war bestimmt nicht am Spielplatz, denn ich habe hart gearbeitet. Er arbeitet nicht, sondern er spielt öffentlich, und die Semiotik inspiriert die neue Spielregel. Dem Spielenden liegt eine starre politische Zielvorstellung fern, aber gleichzeitig sagt er laut genug, dass es ihm um Ideologiekritik gehe. Der politische Ursprung der Spiellust erklärt, wie die Energie zum Spiel gewonnen wird. Beispielsweise verwandelt sich die Wut über die Instrumentalisierung des Weins zum Zweck der „französischen" Identitätsbildung in die

Triebkraft fürs Schreiben. Wegen der Heiterkeit des Schreibflusses fallen mir zuerst Begriffe wie Kritik, Politik oder Semiotik nicht ein. Aber im Laufe der Texte wird es immer klarer, dass die Triebkraft durch die Auseinandersetzung mit der Politik im weitesten Sinne gewonnen wird. Der Autor behauptet nicht, dass er etwa aus Leidenschaft schreiben würde, denn die Leidenschaft ist – zumindest als eine „natürliche" Energiequelle fürs Schreiben – nichts anderes als ein Mythos.

Wenn alle wissenschaftlichen Bücher ein Verfallsdatum tragen sollten, wäre ein Buch, das keines hat, nicht wissenschaftlich genug. *Mythen des Alltags* ist unübersehbar an seine Entstehungszeit gebunden, aber das heißt nicht, dass es heute nicht frisch schmeckt. Gerade seine Zeitgebundenheit wirft neue Fragen auf unsere Zeit. Was würden zum Beispiel die liberalen, gut ausgebildeten Bürger von heute sagen, wenn sie läsen, dass die erfolgreichen Filme und Theateraufführungen, selbst wenn sie scheinbar wilde, gefährliche Erotik zeigen, der Stabilisierung der bürgerlichen Norm dienen? Unsere sympathischen, belesenen Bürger würden über eine solche Behauptung gar nicht entsetzt sein. Sie ahnen oder wissen schon selber, dass es bei ihrem Theater- und Kinobesuch um ein Ritual geht. Wichtig ist, dass sie dort ihre Leidenschaft oder das, was sie dafür halten, ausleben können. Hinterher können sie befriedigt in ihr Wohnzimmer zurückkehren.

Für manche islamischen Fundamentalisten ist ein nackter Frauenkörper in der Öffentlichkeit ein Zeichen für die „westliche" Verdorbenheit. Man könnte die Fundamentalisten beruhigen, indem man ihnen dieses unaggressive Buch, *Mythen des Alltags*, schenkt und sagt: „Gerade durch den Striptease kann man die Erotik häuslich, familiär und national kontrollierbar machen, damit die Gesellschaft stabilisiert wird. Genau das, was Sie auch wollen, oder?"

Es ist auffällig, dass die ganze Zeit vom „französischen" Striptease die Rede ist und nicht vom „westlichen", wie es heute bei den islamischen Fundamentalisten und ihren Gegnern üblich ist. Das heißt nicht, dass der Autor etwa einen deutschen oder einen finnischen Striptease kennen und diese mit dem französischen vergleichen würde. Die einzige Vergleichsmöglichkeit bieten die USA, die der Autor aber – wie er selbstironisch zugibt – nur vom „Hörensagen" kennt. Zwischen den USA – oder besser dem „Mythos Amerika" – und dem Mythos Sowjetunion gab es nicht genug Spielraum für Europa. Das Buch *Mythen des Alltags* kann man deshalb unter anderem auch als ein Produkt aus der Zeit des Kalten Krieges verstehen. Während des Kalten Krieges war es sehr kalt. Das war aber nicht der Grund, warum nackte Frauen schnell ins geheizte Wohnzimmer der Nation, ins Stripteaselokal, zurückkehren mussten. Gerade die sinnlichen, scheinbar privaten

Bereiche wurden durch die Medien mythologisiert und besetzt, während die Außenwelt immer feindlicher und gefühlskälter erschien.

Was Roland Barthes über die „Zwei Mythen des Jungen Theaters" schreibt, kann man heute auf die Beschreibung von Fußballspielen übertragen, ohne fußballfeindlich zu werden. Wie das „Junge Theater" muss das Fußballspiel „von einem wahren Feuer der Leidenschaft durchglüht sein". „Es muss um jeden Preis kochen, das heißt zugleich brennen und sich verströmen; daher die feuchten Formen dieser Verausgabung." Die Männer „verströmen sich in Flüssigkeiten aller Art, Tränen, Schweiß, Speichel." Das Fußballspiel ist heute eines der erfolgreichsten Theater der Leidenschaft. Die Spieler machen dem Publikum nichts vor, sie kämpfen ‚echt', und gerade diese Echtheit lädt ein, den Fußball als Mythos zu analysieren.

Die Ideologie der Natürlichkeit, die Roland Barthes unermüdlich kritisiert, wird heute von der Evolutionstheorie unterstützt und hat eine neue Akzeptanz gefunden. Die Statistiken sagen zum Beispiel, dass es während der Weltmeisterschaft zu mehr Schwangerschaften kommt als sonst. Der Effekt der Mythen wird zur Natur gemacht, entpolitisiert und als ein Treibmittel für die Reproduktion rechtfertigt.
Heute wissen die meisten Fußballliebhaber, dass die Massenmedien den Sport mythologisieren oder dass die Nationalmannschaft nichts mit Nationalis-

mus zu tun hat. Das reicht aber nicht. Was Roland Barthes geleistet hat, war keine einmalige Aufklärungsarbeit, sondern die Aufforderung, immer weiter alles als Text zu lesen und nie damit aufzuhören.

Die dreifache Katastrophe in Japan im Jahr 2011 wurde in den deutschen Medien als die Tragödie einer „Nation" inszeniert, als wäre ohne den Begriff der Nation kein Zugang zu Trauer oder Mitleid möglich. Bei dieser Gelegenheit wurde versucht, die Emotionen an die Vorstellung der Nation anzubinden, was nicht bei jedem funktionierte. Vier Monate später, als vom Sieg der japanischen Nationalmannschaft im Frauenfußball berichtet wurde, wurde dieser Sieg sofort mit der Tragödie in Zusammenhang gebracht: Die Nation habe gelitten, die Nation werde nun getröstet. Man behauptete, dass man Mitleid nicht für eine Masse, sondern nur für einzelne Personen empfinden könne. Aber Menschen, die mich kaum kannten, projizierten ihr Mitleid auf mich, nachdem sie die Zeitung gelesen hatten. Erst werden Emotionen für eine Nation durch die Medien geschürt, dann werden sie auf einen Menschen gegossen, der dieser Nation zuzuordnen ist, selbst wenn er kein Opfer ist. Die Medien hätten ohne Mythen nicht geschafft, den privaten Raum der Emotionen zu erobern.

„Ich kann ohne jeden Anspruch, eine Realität darzustellen oder zu analysieren, irgendwo in der Welt eine gewisse Anzahl von Zügen aufnehmen und aus diesen Zügen ganz nach Belieben ein System bilden. Und dieses System werde ich Frankreich nennen."

Das war kein Zitat aus *Mythen des Alltags*, sondern aus dem *Reich der Zeichen*. Ich habe bloß „Japan" durch „Frankreich" ersetzt, um zu sehen, was die Unterschiede zwischen den zwei Büchern sind. Kann man so sicher sein, dass es Frankreich gibt?

134

Claude Lévi-Strauss und der japanische Hase

Es gab Zeiten, in denen man „Brücke" als Metapher für eine gelungene Kulturvermittlung benutzte. Heute kann man die Kulturen nicht mehr als feste Ufer verstehen, und daher kann man sie nicht mehr durch ein unbewegliches Bauwerk miteinander verbinden. Lévi-Strauss zeigt uns eine andere Brücke, bei der deutlich wird, warum sie doch noch eine spannende oder gefährliche Metapher werden kann.

Jedes Kind in Japan kennt den weißen Hasen von Inaba, weil seine Geschichte nicht nur im Gründungsmythos des Landes, sondern auch in einem Märchen erzählt wird. Dieser Hase, leider ein Nichtschwimmer, sitzt auf einer Insel fest, möchte zum Festland zurückkehren. Er schlägt den Krokodilen vor, im Wasser eine Reihe zu bilden, damit er sie zählen kann. Es sei doch interessant zu wissen, sagt der Hase, ob die Sippe der Krokodile zahlreicher sei als die der Hasen. So gelingt es ihm, aus Krokodilrücken eine Brücke zu bauen. Er kann aber, kurz bevor er sein Ziel erreicht, nicht mehr seinen Mund halten und ruft triumphierend: Ihr seid von mir betrogen worden! Daraufhin schnappen sie ihn und ziehen ihm die Haut ab. Die Krokodile sind keine Bausteine für eine Brücke, sondern empfindliche Fährleute, die durch Beleidigung so gefährlich werden können wie die Boten der Hölle. Lévi-Strauss vergleicht das Motiv des „empfindlichen Fährmanns", das zur universellen Mythologie gehört, mit dem Halbleiter, der die Elektrizität mal weiterleitet, mal unterbricht. An einer anderen Stelle spricht er vom Sternenhimmel, der in unseren Augen wie eine homogene Fläche aussieht. In Wirklichkeit stammt jeder Stern aus einer anderen Zeit. Wie ist der dunkle Raum zwischen zwei Sternen, den unser Blick mühelos überquert, zu verstehen?

Der Anthropologe erinnert uns an die alte Frage, wie man überhaupt eine Kultur verstehen kann. Wer in einer Kultur aufgewachsen sei, könne sie nicht sehen, weil ihm die dafür nötige Distanz fehle. Wer eine Kultur von außen betrachte, könne sie nicht begreifen. Müssen wir aber immer an einem Ufer stehenbleiben? Auf einem Foto, das 1986 in Japan aufgenommen wurde, sieht man den 77-jährigen Lévi-Strauss mit seiner Frau und japanischen Kollegen gemeinsam in einem kleinen Boot sitzen. Er wirkt zufrieden, als wollte er sagen, seine Aufgabe sei nicht, eine Brücke zwischen Kulturen zu bauen, sondern gemeinsam mit den fremden Freunden auf dem Wasser unterwegs zu sein. Das Foto von der Bootsfahrt wirkt idyllisch, dabei ist das Wasser ein gefährliches Element. Einige japanische Mythen deuten an, dass das Diesseits und das Jenseits durch das Meereswasser miteinander verbunden sind.

Klaus Antoni zeigt in seinen spannenden Studien, die Lévi-Strauss erwähnen, dass man den Mythos des weißen Hasen von Inaba als Darstellung einer Opferung lesen kann. Der Hase verkörpert das Opfer, die Krokodile das Jenseits. Die Häutung kommt in diesem Fall dem Sterben gleich. Als der nackte Hase leidend am Strand liegt, wandert eine Gruppe von achtzig Brüdern an ihm vorbei. Sie haben alle nichts anderes im Kopf, als eine gewisse Prinzessin zu heiraten und zur Macht zu kommen. Der Hase erzählt ihnen, was ihm passiert ist. Sie geben ihm einen falschen Rat, und seine Schmerzen verstärken sich. Etwas verspätet erscheint der jüngste Bruder, der von seinen Brüdern zum Gepäckträger bestimmt worden ist. Er gibt dem Hasen einen richtigen Rat. Der Hase wird geheilt und prophezeit, dass dieser jüngste Bruder die Prinzessin heiraten wird. Die Moral der Geschichte: wer das Opferungsritual mit der Wiederbelebung des Opfers abzuschließen weiß, soll das Land regieren.

Auf den Kenner der Indianerkultur wirkte die japanische Mythensammlung *Kojiki* weder exotisch noch überraschend neu. Dort kommen Elemente vor, die er bereits alle von schriftlosen Kulturen der Indianervölker kannte. Er fand es aber bemerkenswert, dass in Japan die alte Mythologie mitten in der modernen Zivilisation, die die Natur skrupellos zerstört und in der Welt neuester Technologien eine führende Position hat, noch im Bewusstsein der Menschen einen sicheren Platz einnimmt.

Anders als im Fall der *Traurigen Tropen* kann man dem Japanreisenden Lévi-Strauss nicht unterstellen, er würde die Schrift als Gefahr inszenieren, die die Unschuld der schriftlosen Kultur raubt. Denn er findet die älteren Versionen der Mythen, die er von den Ureinwohnern Amerikas kennt, in den schriftlichen Quellen Japans.

Kojiki, aufgezeichnet am Anfang des achten Jahrhunderts, wurde in Japan während des Zweiten Weltkriegs in einer vergleichbaren Weise missbraucht wie die germanischen Mythen in Deutschland. Wer der altjapanischen Sprache nicht mächtig ist, kann zum Glück jetzt diese Mythensammlung in der deutschen Übersetzung von Klaus Antoni lesen. Sein Aufsatz über die Entstehungs- und Rezeptionsgeschichte der *Kojiki* motivierte mich, über das Zusammenspiel zwischen dem Gedächtnis einer Schamanin, dem der Ideogramme und der Inszenierung des Gründungsmomentes einer Kultur neu nachzudenken. Es gibt heute noch Japaner, die kein exotisches Tier dulden, wie das Krokodil aus dem Gründungsmythos, den sie als nationales Heiligtum ansehen. Dabei gilt das Szenario als wahrscheinlich, wonach Japan aus zwei Strömungen von Menschen, Sprachen und Kulturen entstanden ist: Die eine Strömung ging von Sibirien aus nach Osten: wenn Japan eine ihrer Endstationen war, war der amerikanische Kontinent eine andere Endstation dieser Völkerwanderung. Die andere Strömung kam aus dem südlichen Pazifik, wo die Krokodile zu Hause sind. Lévi-Strauss spricht von der kulturellen Triangulation, die aus dem Malaiischen Archipel, Amerika vor der Entdeckung und Japan besteht.

Nach dem Tsunami und Super-GAU 2011 kehrte in internationalen Medien ein Japanbild zurück, in dem ein Samurai freiwillig für seinen Herrn stirbt und dabei keine Angst vor dem Tod zeigt. Aber was, wenn dieser Samurai in Wirklichkeit ein hilfloser Hase wäre, der leichtsinnig mit den Krokodilen umging und jetzt am Strand stirbt? In welchem Ritual kann der Hase auferstehen?

Lévi-Strauss wurde zwischen 1977 und 1988 fünf Mal nach Japan eingeladen. Anders als sein Frühwerk *Traurige Tropen* haben seine Beiträge über Japan einen dialogischen Charakter, da er sich nicht nur mit der japanischen Literatur und den Mythen, sondern auch mit dem zeitgenössischen japanischen Diskurs über die eigene Kulturgeschichte auseinandersetzte. Wenn er über Japan redet, hört man keinen melancholischen Ton, der *Traurige Tropen* als literarisches Werk attraktiv und aber auch autistisch macht. Hier spricht der Anthropologe im reifen Alter – begeistert, differenziert, kommunikativ und diplomatisch. Nicht einmal der Anblick der Großstadt Tokio bringt ihn dazu, wieder kulturpessimistisch zu werden. Interessanterweise befürwortet er, dass die japanische Moderne mit einer Restauration begann und nicht mit einer Revolution. Für jemanden aus dem Land der Revolution ist es radikal, der absoluten Erneuerung den Halbleiter vorzuziehen und zu sagen, in dem Moment, in dem ein neues Zeitalter von außen gewaltig hineindränge, sei es wichtig, die alten Werte aufzubewahren, damit nicht alles neu werde. Genaueres dazu kann man in seinen weiteren Vorträgen, die er in Japan gehalten hat und die ebenfalls in der deutschen Übersetzung gerade erschienen sind, lesen.

Die Japanreise von Lévi-Strauss liegt jetzt hinter Fukushima, was seine Schriften umso lesenswerter macht. Die traurigen Subtropen ahnten damals noch nicht, dass die am Pazifik gebauten Atomkraftwerke viel gefährlicher sind als jene Brücke aus Krokodilen.

Impressum

© konkursbuch Verlag Claudia Gehrke Herbst 2016
PF 1621, D – 72006 Tübingen
Telefon: 0049 (0) 7071 66551
Fax: 0049 (0) 7071 63539
E-Mail: office@konkursbuch.com
www.konkursbuch.com
www.facebook.com/konkursbuch.verlag
Cover: Fresco (Detail), Pompeji, Villa dei Misteri
ISBN: 978-3-88769-557-6
ISBN E-Book: 978-3-88769-558-3